作ったその日から
愉しめる

苔盆景入門

著
日本園芸協会盆栽士
木村日出資
左古文男

日東書院

苔盆景入門 目次

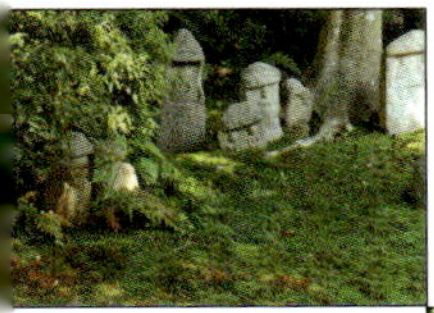
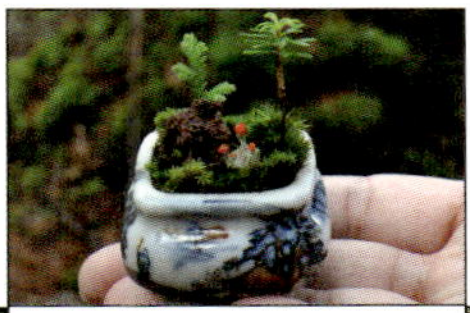
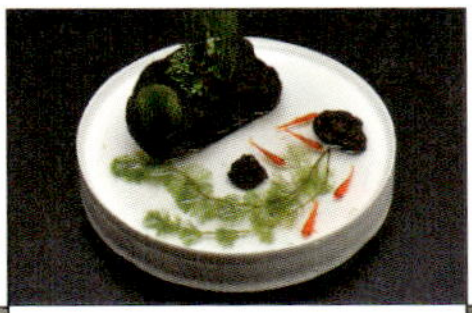
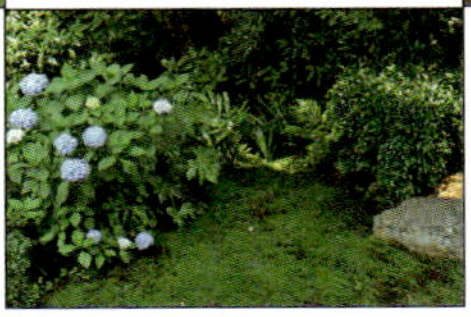
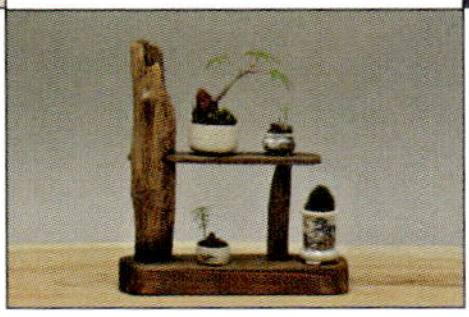
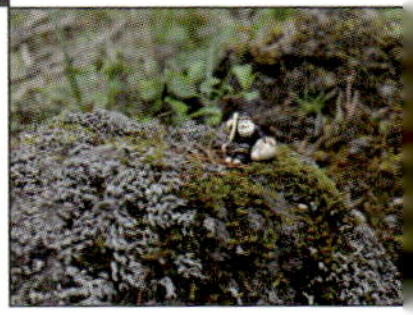
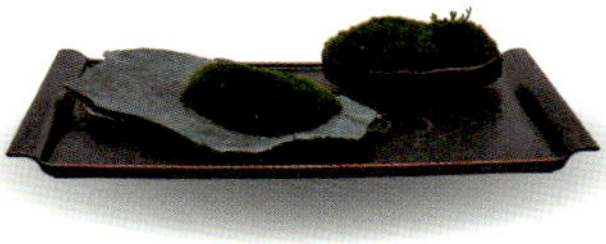

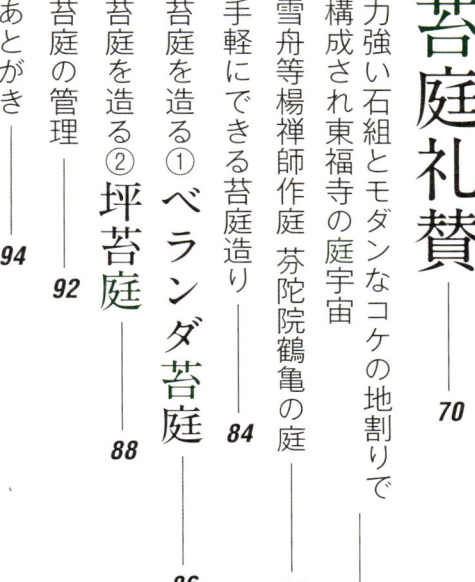

はじめに

巷間、いろいろなコケを使った苔園芸が流行しているようです。

山野草や盆栽を愛好された経験のある方は、一度はコケを植えて愉しんだ覚えがあるのではないでしょうか。

しかし、コケは大好きだけれど「すぐ枯れてしまう」「変色してしまう」「むずかしい」といった苦い経験をした方が多くいらっしゃるようです。それは、苔園芸に関する書籍が極端に少なく、コケの性質や育て方がわからないまま管理されている方が多いからではないでしょうか。

ご存知のようにコケはいろいろな場所に自生しています。自生しているということは、その場所がコケにとって住みやすい環境だということです。その住みやすい場所から違った場所にコケを移動すると、変色してしまうことが多く

あります。

コケを枯らすことなく長く苔園芸を楽しむコツは、①自生していた場所と比較的類似した環境をつくる。②管理する場所の近くに自生している地元のコケを使う。③どんな環境にも比較的強いコケを使う。以上の3点がポイントになります。

本書は、コケを主に、山野草を従にして、懐かしい里山の風景を器におさめたいろいろな「苔盆《こけぼん》」や苔庭の造り方、苔園芸に適したコケの種類と選び方、また、管理方法などを紹介しています。

コケは好きだけど何度挑戦しても上手くいかなかったという方や、これから苔園芸を始めてみたいという皆様の一助になれば幸甚です。

日本園芸協会盆栽士　木村日出資

序章

苔盆景名品尽

こけぼんけいめいひんづくし

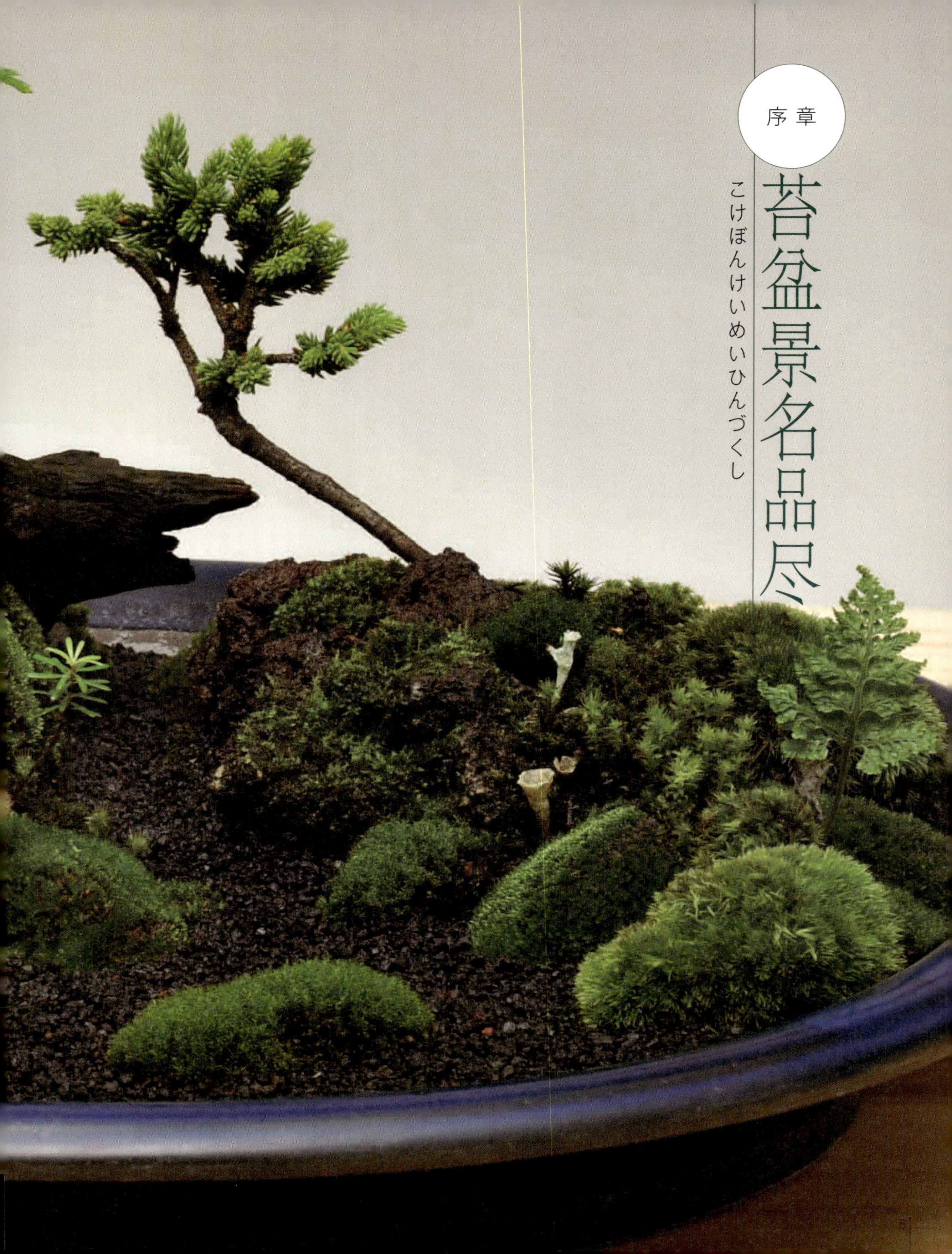

桃源郷

草　木：ヤツブサエゾマツ、シノブ、シダ、シコタンソウ、セキショウ、マイヅルソウ、ヒメユキノシタ、モミ、タンナチダケサシ
コ　ケ：ホソウリゴケ、ホソバオキナゴケ、コツボゴケ、スナゴケ、ギンゴケ、ハマキゴケ、ヤグラゴケ
サイズ：横幅400㎜×高さ200㎜×奥行310㎜

静稜景

コ　ケ：ギンゴケ
サイズ：横幅250㎜×高さ50㎜×奥行250㎜

幽玄楼

草　木：イグサ、シノブ、オトギリソウ、マイヅルソウ、セキショウ
コ　ケ：ホソバオキナゴケ、フデゴケ、スナゴケ、コツボゴケ、シノブゴケ、スギゴケ、サンゴゴケ
サイズ：横幅120㎜×高さ310㎜×奥行120㎜

朝靄渓

草　木：モミ
コ　ケ：ホソウリゴケ、スナゴケ
サイズ：横幅40㎜×高さ70㎜×奥行40㎜

寂峪游

草　木：ヤツフサエゾマツ、マイヅルソウ、ヒメユキノシタ、セキショウ
コ　ケ：ホソバオキナゴケ、スナゴケ、ホソウリゴケ、コツボゴケ、ハマキゴケ
サイズ：横幅280㎜×高さ140㎜×奥行140㎜

静稜景

コ　ケ：ホソバオキナゴケ、ギンゴケ、ホソウリゴケ、スナゴケ
サイズ：横幅580㎜×高さ70㎜×奥行160㎜

天子岩

草　木：モミ、マイヅルソウ

コ　ケ：タマゴケ

サイズ：横幅140㎜×高さ70㎜×奥行125㎜

仙雲崖

草　木：モミ、シダ、タンナチダケサシ、
　　　　ヒメユキノシタ
コ　ケ：ホソバオキナゴケ、ハマキゴケ、
　　　　ホソウリゴケ、フデゴケ、シノブゴケ
サイズ：横幅90㎜×高さ280㎜×奥行80㎜

愁夢魂

草　木：ミズトクサ、マツモ
コ　ケ：ホソバオキナゴケ
サイズ：横幅260㎜×高さ360㎜×奥行260㎜

夫婦岳

草　木：モミ、ヒメユキノシタ、シダ、アカネキンバイ、セキショウ
コ　ケ：ホソバオキナゴケ、ギンゴケ、ハマキゴケ、スナゴケ、フデゴケ、シノブゴケ、ハイゴケ、コウヤノマンネングサ、スギゴケ、ヤグラゴケ、サンゴゴケ
サイズ：横幅100㎜×高さ290㎜×奥行90㎜(左)、横幅80㎜×高さ160㎜×奥行60㎜(右)

洞庭望

草　木：モミジ、タンナチダケサシ、ヒメユキノシタ
コ　ケ：ホソウリゴケ、ホソバオキナゴケ、コウヤノマンネングサ、フデゴケ、ハマキゴケ
サイズ：横幅145㎜×高さ150㎜×奥行140㎜

寂奇峰

草　木：モミジ、セキショウ、モミ、ヒメユキノシタ、イワマツ、タンナチダケサシ
コ　ケ：ホソバオキナゴケ、ホソウリゴケ、ギンゴケ、ハマキゴケ、スナゴケ、ヤグラゴケ
サイズ：横幅350㎜×高さ130㎜×奥行130㎜

渓山行

草　木：モミ、タンナチダケサシ、オトギリソウ、ヒメユキノシタ
コ　ケ：ホソウリゴケ、ハマキゴケ、スナゴケ、フデゴケ、ホソバオキナゴケ、サンゴゴケ
サイズ：横幅290㎜×高さ130㎜×奥行120㎜

洞庭山

草　木：マイヅルソウ、セキショウ
コ　ケ：ハマキゴケ、ギンゴケ、ヤグラゴケ
サイズ：横幅70mm×高さ100mm×奥行70mm

千尋郷

草　木：モミジ、モミ、ミズトクサ、シダ、マイヅルソウ、シノブ、ウォーターコイン、ヒメユキノシタ

コ　ケ：ギンゴケ、ホソバオキナゴケ、ハマキゴケ、スギゴケ、コウヤノマンネングサ、ハイゴケ、コツボゴケ、ヒノキゴケ

サイズ：横幅600㎜×高さ400㎜×奥行400㎜

岳陽楼

草　木：チョウジュバイ、イワマツ、ヒメユキノシタ、セキショウ
コ　ケ：ホソバオキナゴケ、ギンゴケ、サンゴゴケ、スナゴケ、ハマキゴケ、ホソウリゴケ
サイズ：横幅210㎜×高さ200㎜×奥行140㎜

碧水天

草　木：モミ
コ　ケ：ホソウリゴケ、スナゴケ、コツボゴケ、ヤグラゴケ
サイズ：横幅40㎜×高さ60㎜×奥行40㎜

第1章

苔盆景事始《こけぼんけいことはじめ》

蘚苔類と地衣類をコケと呼ぶことに

苔《たい》というと生物学的には苔類のことを指しますが、一般的にコケと呼ばれているのは蘚《せん》苔《たい》類《るい》と地《ち》衣《い》類《るい》のことです。そこで本書では、この2つをコケと呼ぶことにします。

日本において蘚苔類は約1700種~約2500種、地衣類は約2000種が分布しているといわれています。

蘚苔類は別名がコケ植物とも呼ばれ、シダ植物や種子植物などと同じく光合成を行なう植物の仲間です。一方、地衣類は菌類と藻類からなる共生生物です。

蘚苔類は蘚類、苔類、角《つの》苔《ごけ》類《るい》に大別され、日本庭園や苔盆景に利用されることが多いのは、蘚類の代表として扱われるスギゴケやヒノキゴケ、ハイゴケなどで、直立したりほふくし、枝と葉が区別できるような品種です。

丈夫で栽培しやすいコケが苔盆に向く

地球の表皮とよばれるコケは、四億年前に海から陸へ上がった最初の植物で、世界中では2万種が実に様々な環境下で自生しています。鬱蒼とした樹海に密生するもの、湿潤な森で育つもの、好日性で乾燥を好むもの……コケはそれぞれが自生可能な環境で住み分けているので、せっかく採取してきても、環境の変化によって変色したり枯れてしまうことがあります。枯らさないためには、できるだけ自生地の環境に近い管理をする必要があります。

苔盆作りに向いているコケは、どんな環境にも比較的強い品種で状態のよいものに限られてきます。コケはコロニー(コケ同士が集まってできた丸い塊)を作って大きくなっていきますが、採っても形

が崩れないものは状態がよく、苔盆作りに適しています。

苔盆景や苔庭に利用するコケは園芸店や通信販売で購入するのが一般的ですが、身近な山や近所の路傍に自生している丈夫で栽培しやすい地元のコケを良識の範囲内で採取してみるのもいいでしょう。

苔盆景に使いたい品種とその特徴

ハマキゴケ

（センボンゴケ科）

Hyophila propagulifera

東北以南の低地に分布。都市部でも普通に見られ、道路やコンクリート面、石垣などに緑褐色の群落をつくる。茎は高さ5㎜以下。葉は卵形で長さ1㎜内外。日照が当たっていると、葉を上方にすぼんだように巻き込んで赤茶けていることからこの名がある。水分を与えると瞬時に葉を広げる。

ギンゴケ

（カサゴケ科）

Bryum argenteum

世界各地の都会地から高山の頂上まで見られ、南極大陸にも分布している。乾燥に強く、庭土、畑、コンクリート上などに白緑色や灰緑色の群落をつくる。茎の長さは1㎝内外。葉は広卵形で長さは0.5～1㎜内外で重なり合ってうろこ状につき、先はするどく尖る。強健な品種で広く園芸用に利用される。

ホソバオキナゴケ

（シラガゴケ科）

Leucobryum neilgherrense

半日陰地の地上、腐木上に白緑色の半球状の塊となり、雨の当たりにくい大木の根元などでは広がるように生える。生育密度があり、長い時間をかけてコロニーの厚みを増すものもある。乾燥すると白色を増す。全国にやや普通に見られ、園芸ではヤマゴケと呼ばれ、苔庭や盆景などに広く利用されている。

ホソウリゴケ

（カサゴケ科）

Brachymenium exile

コンクリート溝や砂が薄く堆積したアスファルト上などに群落をつくる品種で、身近で最も多く見られる。黄緑色または暗緑色で、茎の長さは0.5～1.5㎝。葉は卵形で長さは1㎜内外。重なり合ってうろこ状につく。性質や自生地、姿がギンゴケに似ているが、ギンゴケは茎頂が白っぽいので見分けがつく。

スナゴケ

（ギボウシゴケ科）

Racomitrium canescens

日本全国に普通にあり、日当りのいい場所の湿った地上や岩上に群生する。特に砂質土のところに黄緑色の群落をつくる。乾燥すると茎につくようにすぼまり、湿ると瞬時に葉を広げる。日光と適度な湿り気があればよく育つ剛健さから広い用途に利用されるが、日中の水やりは蒸れをおこすので注意が必要。

コスギゴケ

（スギゴケ科）
Pogonatum inflexum

全国に広く分布し、ウマスギゴケ、オオスギゴケとともに庭園材によく利用されるスギゴケの仲間。新しく露出した表土に最初に現れるコケで、半日陰地の湿った土の上などに群落をつくる。葉は不透明な緑色で、乾くと著しくちぢれて様々に曲がる。直立し、高さは2～3㎝。枝分かれはなく仮根を多数つける。

ウマスギゴケ

（スギゴケ科）
Polytrichum commune

低地から山地のやや日陰地の湿った地上や腐植土、急斜面の岩盤の多いところなどに群生する。大型の苔で20㎝以上に伸びることもあり、茎は硬くスギの小枝を思わせる。石組ともよく合い、苔庭でもっともよく使われる主要な品種で、園芸ではウマスギゴケとオオスギゴケがスギゴケとして扱われる。

タチゴケ

（スギゴケ科）
Atrichum undulatum

低地から山地の半日陰地や日陰地の湿った土の上に群落をつくる。都市部でも普通に見られる。茎は直立し、1～2㎝の高さで枝分かれはしない。透明感のある緑色の葉は柔らかく、長さ7～8㎜の細長い線形で、乾くと著しく巻く。スギゴケとともに苔庭によく利用され、盆景では森を表現するのに用いる。

苔盆景に使いたい品種とその特徴

ヒノキゴケ

（ヒノキゴケ科）

Rhizogonium dozyanum

山中の湿った腐植土上や沢の斜面など、湿度の高い半日陰地から日陰地に群落をつくる。スギゴケと対照的な柔らかさと色目の美しさを持ち、イタチノシッポの俗称で知られる。趣のある形状で、スギゴケよりも管理が容易なことから苔庭にもよく植えられる。アクアテラリウムや盆景などにも利用される。

コウヤノマンネングサ

（コウヤノマンネングザ科）

Climacium japonicum

全国に見られ、山中の半日陰地の腐植土上に群生する。地中を長く横にはう地下茎と、そこから立ち上がる直立茎がある。直立した茎は5～6㎝となり、上半部で羽状に枝を出す。葉は下半部は卵型でうろこ状だが、枝の葉は先が尖る。大型で優美な姿から盆景では樹木を表すアクセントとして利用する。

トヤマシノブゴケ

（コウヤノマンネングザ科）

Climacium japonicum

全国に広く分布。半日陰地に群落をつくり、茎は横にはい、規則正しく2～3回羽状に枝分かれする。葉は放射状につき、ほぼ三角形で先端は長く糸状に尖る。園芸では大型の数種類をシノブゴケとして扱っている。流木や多孔質の岩などにも定着しやすく、盆景やテラリウムなど広い用途に利用される。

アラハシラガゴケ

（シラガゴケ科）
Leucbryum bowringii

半日陰地の湿度の高いところにあるスギの木の根元や岩上、腐木上などに半球状の塊をつくって群生する。茎は高さ3㎝内外で、葉の長さは5㎜～1㎝。長卵形で先は細く尖り、乾いてもあまりちぢれることはない。マンジュウゴケ、ヤマゴケとも呼ばれ、ホソバオキナゴケの代用品種として使われることが多い。

フデゴケ

（シッポゴケ科）
Campylopus umbellatus

本州から九州に分布。半日陰の場所でも生育するが、日当たりのよい湿った岩上や地上に群生する。茎は光沢のある美しい緑色で直立し、枝分かれして6～7cmになる。葉は硬く、乾いてもちぢれず、葉先が灰白色になる。乾燥、日照に強く苔庭に向く品種で、日光を反射してビロードのように美しく輝く。

シッポゴケ

（シッポゴケ科）
Dicranum japonicum

日本全国にやや普通にあり、半日陰地の湿った腐植土や大木の根元などに群生する。黄緑色の大型のコケで、茎の表面には白っぽい仮根が密生する。茎はほとんど枝分かれせず直立する。茎葉が動物の尾のような形をしていることからこの名がある。湿地を好むが、葉は乾燥してもあまりちぢれることはない。

苔盆景に使いたい品種とその特徴

タマゴケ

（タマゴケ科）
Bartramia pomiformis

全国に普通に見られ、日当り地から半日陰地の湿った林のへりや腐植土のたまった岩上、崖などに半球状の群落をつくる。枝分かれはほとんどなく、葉は細長い披針形でスギゴケに似ているが、淡緑色で、茎の表面には赤褐色の仮根が密生している。丸く緑色の胞子体をよくつけ、熟すと褐色になる。

コツボゴケ

（チョウチンゴケ科）
Plagiomnium acutum

全国の低地に広く分布。半日陰地の地上や腐木上、岩上に群生。都市部でも、あまり踏まれない地面にクモの巣状の群落をつくる。茎は直立するが、四方に広がって先端から仮根を出して根づく。苔庭に利用されるだけでなく、盆景やテラリウムにも利用され、鮮緑色が明るさを演出するアクセントになる。

エゾチョウチンゴケ

（チョウチンゴケ科）
Trachycystis flagellaris

日本全国に分布しているが、名の示すように東北や北海道でよく見られる。日陰地の腐葉土や腐植土に群落をつくる。茎は高さ2〜3㎝になる。枝分かれはないが、茎の先端に長さ2〜4㎜程度の多数の細長い枝状の無性芽をつける。葉は卵状披針形で中部から先端にかけてのへりには二重になった歯がある。

ハイゴケ

（ハイゴケ科）
Hypnum plumaeforme

全国に広く分布。都市部でも普通に見られ、日当りのよい場所の湿った地上や岩上などに群落をつくる。和名の「這苔」は茎が横にはうことからつけられた名前で、10㎝前後までのびて、規則的に羽状に1㎝程度の枝を出す。剛健でよく生育し管理も容易なため、苔玉やアクアテラリウムなどにも利用される。

サンゴゴケ

（サンゴゴケ科）
Sphaerophorus meiophorus

地衣類サンゴゴケ科の代表的な1種。北海道から九州の高山帯に見られる日本特産種で、名前の通り姿は海底のサンゴに似る。乾燥に強く、パラパラになっても水を与えて柔かくすれば飾り苔として使用できる。地衣類は外見が似るコケ植物と混同されるがちだが、菌類と藻類からなる共生生物である。

イワダレゴケ

（イワダレゴケ科）
Hylocomium splendens

全国の亜高山地帯の林床の腐植土上や岩上などに大きな群落をつくる。前年にのびた茎の中ごろから新たに羽状の茎が立ち上がり、やや弓状に曲がってくる。一年に5㎝前後大きくなり、のびた茎の上のほうで細かい枝を水平に広げてうちわ状になる。20㎝前後にまで成長し、下から腐植土化していく。

コケの入手とマナー

採取は雨上がりに

コケは意外と身近なところに自生しているのをご存知でしょうか。コンクリートやブロック塀、レンガ、岩上、樹皮……視線を転じれば、いろいろなものに張りついて自生しているコケが観察できます。

　これらの身近なコケは日光にも乾燥にも比較的強いものばかりで、苔盆作りには欠かせない品種なのです。なかでもホソウリゴケ、ギンゴケ、ハマキゴケは代表的な品種で、その色彩はコケ独特の深味があります。

　しかし、これらのコケは常に深緑色をしているわけではありません。天気がいい日には体内の水分が蒸発しないように葉を閉じて身を守っているため土色をしています。

苔盆作りに欠かせないコケは意外と身近なところに自生している。

ですから、これらのコケを採取するのは濡れていきいきとしている雨上がりが最適です。

　乾燥した好天下で採取する場合には、ペットボトルや霧吹きを持参してコケらしいところに水をかけてください。コケであれば、瞬時に葉を開いて本来のきれいな色を見せてくれます。

ホソウリゴケ、ギンゴケ、ハマキゴケは身近で最も多く見られる品種で日光にも乾燥にも強い。写真はホソウリゴケ。

コケ採取で用意する道具。採取したコケを容れる容器（タッパーウェア大小、ガラス瓶など）。ヘラ（土をつけたまま塊を崩さないように採取するのに便利）。好天時に採取する場合には霧吹きがあると便利。また、ポケットサイズの図鑑を携帯すれば種の同定に役立つ。

　コケを採取する場合、その場所が他人の敷地内であれば、ひと声かけるのが礼儀です。そして、了解が得られたら、少しだけ採るようにしてください。根こそぎ採らなければ、コケはまた自然に増殖します。

第２章

苔盆景実践躬行《こけぼんけいじっせんきゅうこう》

デザイン画を描く

絶妙な風韻を生む苔盆

苔盆の魅力は「作ったその日から愉しめる」、この一言に集約されます。

草木の盆栽は剪枝剪定を繰り返し、長い歳月を経て完成するものですが、苔盆は作り上げた瞬間から命の讃歌を誇らかに歌い上げ、緑の小宇宙を掌中に抱く愉悦を与えてくれます。

たとえ道端のコケであっても、鉢上げをして丹精を尽くせば一山の趣があるみごとな苔盆となり、ともに月日を過ごしていくうちに年寂びた風情を見せて、その味わいも深まります。また、陶磁器を用いず、流木や孟宗竹に粘りのある用土を盛ってコケを張り、

山野草を植え込めば、鉢物とはひと味違った盆景となり、絶妙な風韻が生まれます。

流木盆景

遥々とした山紫水明の景

路傍に生えたコケを鉢上げしただけでも趣がありますが、山紫水明、深山幽谷の景を盆上に具現した苔盆には妙境に満ちる気が横溢しています。

盆景の前に座し、葉末をきらめかせる生苔の緑の諧調の中に宿る美しさを愛でていると俗世の塵芥は露と消え、風の歌や水の声までもが聞こえてくるようで気宇壮大な心持ちになります。

苔盆には悠久の時の堆積が生む老木の味わいとは違った優しさがあり、野情あふれる豊かな本然に心を誘う趣があります。

盆 槽

水辺盆景

卓上苔庭

創作の本懐は仙境に心遊ばせること

ひとくちに盆景といっても、さまざまな趣があり、いくつかの範型があります。本書では以下の六種類の盆景の作り方を紹介します。

①苔小鉢
②流木盆景
③竹盆景
④水辺盆景
⑤卓上苔庭
⑥盆槽

立体の山水画ともいわれる盆栽は、水石や草木を配して壮大な自然をひと鉢の中に再現したものですが、苔盆の画題も幽玄な景色を写し取ることに変わりありません。

唯一違うのは、コケが主で樹木や山野草が従になっている点です。

そして、苔盆作りの本懐は技巧的にすぐれた作品を生み出すことではなく、故郷の風景や理想の山水景情を脳裏に描きつつ、やんちゃな山童やおてんば娘だった遠い日の自分と出会ったり、しばし人間界を脱出して掌中の仙境に心遊ばせることにあります。

作り方はコケとの対話の中から形を作っていく方法もありますが、まずは完成のイメージを紙に描き、それから材料を集めて立体化していくようにしましょう。最初にデザイン画を描いて出来上がりのイメージを形にしておくのは、失敗を少なくする有効な方法です。

唯一無二の器を作る

河原や湖畔などを探せば、流木は簡単に見つけられる。樹種や風化の度合いで硬さはまちまちで、加工に向くものと向かないものがある。また、採取した場所によって「海流木」と「川流木」にわかれる。海流木はしばらくの間、水道水を張ったバケツなどに浸けるなどして塩分を抜いてから使用する。

流木や孟宗竹の器には味わい深い美しさがある

せっかくの丹精の一樹であっても、その命をつなぐ大地とでもゆうべき用土を盛った小鉢が粗末でつまらないものなら、その盆栽に風情は感じられません。雅趣に富む盆栽は、草木と鉢が一体となって絶妙な風韻を生むもので、それゆえ盆栽愛好家は鉢の意匠に凝り、心を尽くすのです。

それは苔盆も同様で、コケがやすらぐ器が要といっても過言ではありません。これこそはと思われる鉢を吟味し、それに合った一景を作り上げる喜びは作り手だけに与えられた愉悦です。そして、器も自作すれば究極の苔盆が完成し、これにまさる喜びはありません。

陶磁器の鉢を自作するにはそれなりの技術と設備が必要ですが、流木や孟宗竹を器に加工するのであれば日曜大工で使用する程度の工具があれば十分です。

流木は園芸店などでも購入できますが、散歩がてら河原などを探してみると容易に見つけられますし、松の内が過ぎて用済みになった門松なんかも器として再生できます。

上部を急峻な連山の稜線に見立てて加工した流木や孟宗竹に用土を盛り、深山幽谷の景をおさめれば、野情瀟々とした山気を一陣の涼風が運んできてくれるような感慨を覚えることでしょう。

流木の加工方法

1

河原や湖畔などで採取してきた流木素材は付着した泥などを水でよく洗い流し、風通しのいい場所に置いて十分に乾燥させる。

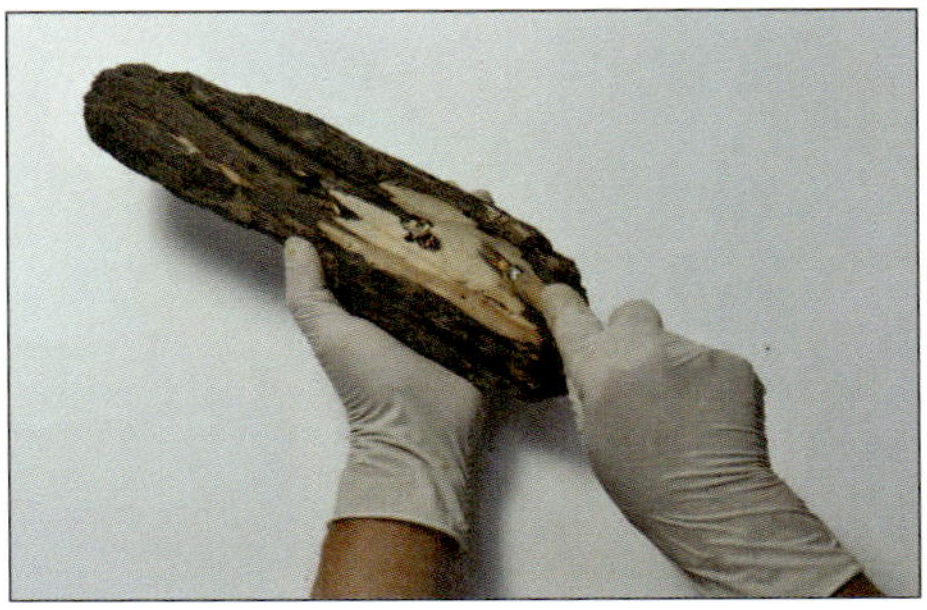

2

十分に乾燥したら、彫刻刀やハンドドリル、ノミとカナヅチ、木工用穿孔機などを使って用土を盛る部分を慎重に彫っていく。

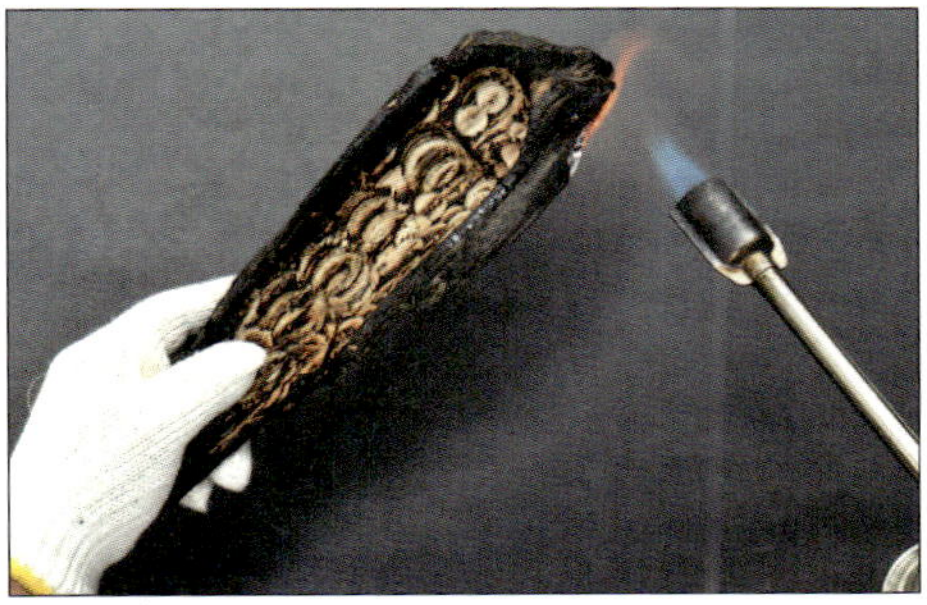

3

用土を盛る部分が彫れたら、バーナーやガスコンロで流木全体を軽く焼く。こうすることで木屑や毛羽立ちが取れ、耐久性が増す。

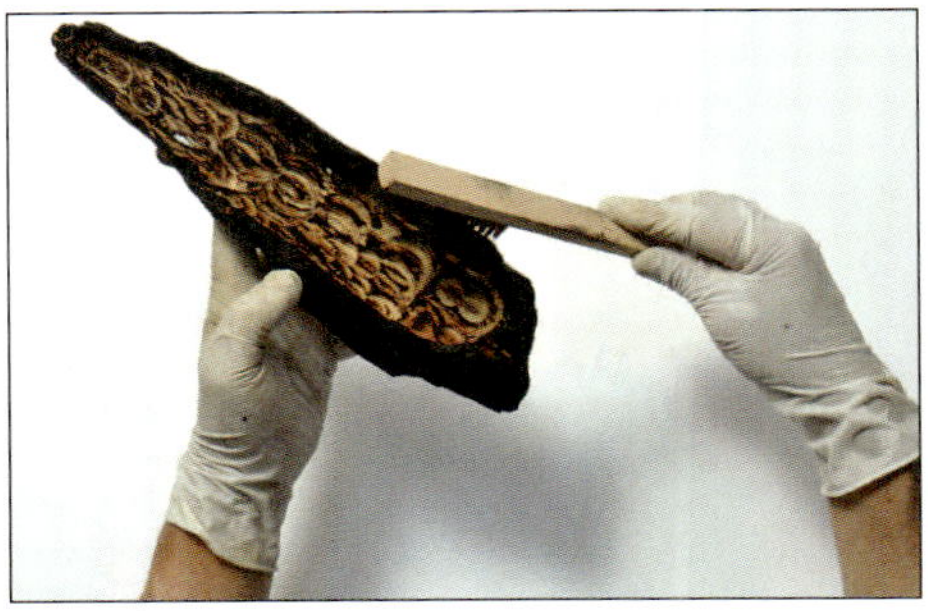

4

ワイヤーブラシを使って炭化した表面を削り、滑らかな形に整えていく。最後に水でよく洗ってから乾燥させればできあがり。

孟宗竹の加工方法

1

乾燥した孟宗竹を用意して、適寸（30㎝程度）にカットする。

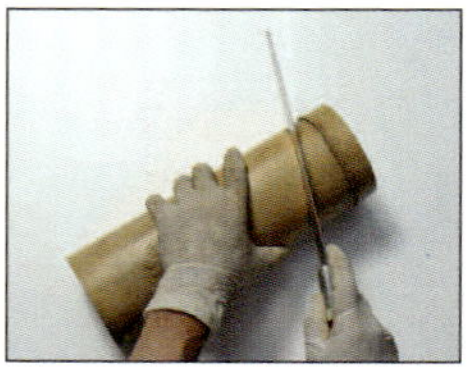

2

節から5～7㎝ほどの位置にノコギリで斜めに切れ目を入れる。

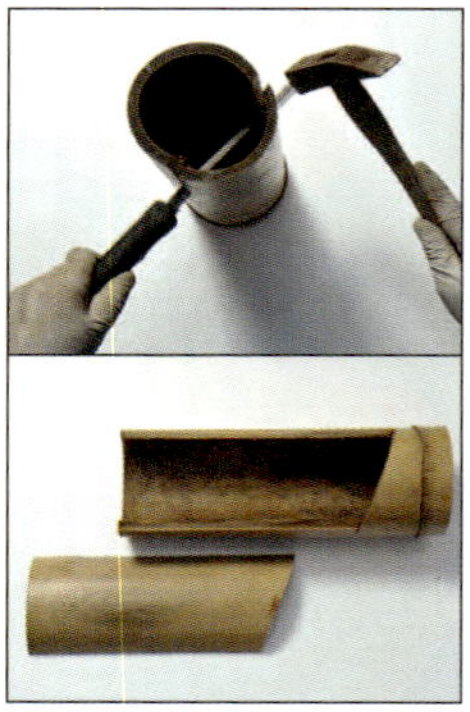

3

上部の先端にナタを食い込ませ、カナヅチを使って慎重に分割する。

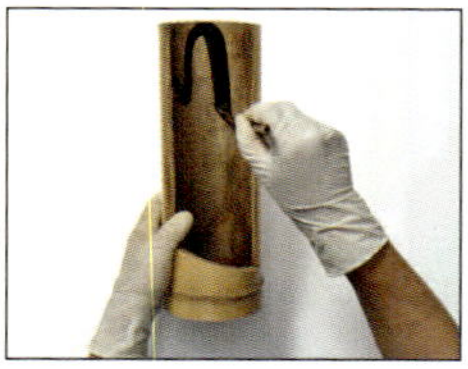

4

内側部分に墨やマジックなどで連山の稜線に見立てた下絵を描く。

5

下絵に沿ってノコギリで荒くカットする。

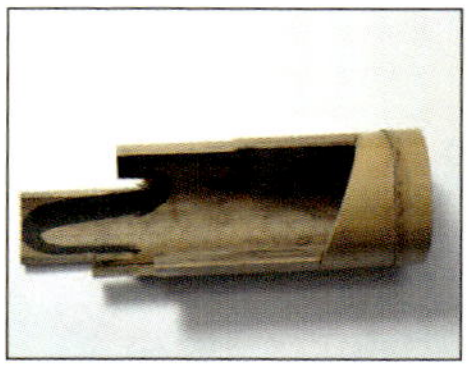

6

カットして角ばった面をヤスリで削って丸みを出していく。概形が整えばサンドペーパーをかけて滑らかな形に修正する。

7

バーナーやガスコンロで切り口を軽く焼いて毛羽立ちを取る。

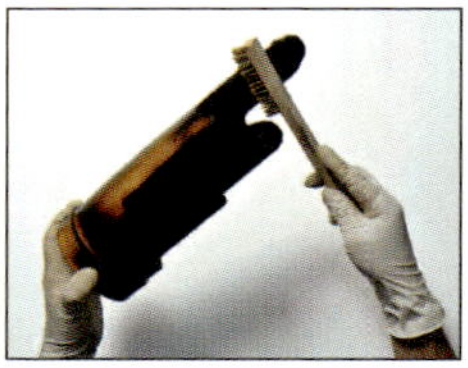

8

ワイヤーブラシで炭化した表面を削り、滑らかな形に整えていく。よく水洗いして乾燥させればできあがり。

自由な発想で器を選ぶ

コケや草木をおさめる器は、市販のものならどんな鉢でもいいというものではありません。たとえ典雅な名鉢であっても、おさめられた盆景とのバランスが悪ければ鉢映りはよくありません。

　逆に安価な鉢でも、そこにやすらぐコケの姿とマッチしていれば味わい深い美しさが生まれます。鉢と盆景が調和して、初めて苔盆の鑑賞価値は高まるのです。

　盆栽にはどんな草木を植えるかによって、鉢の形、色、材質などの基本的な選び方がありますが、苔盆は鉢映りがよければ自由な発想で選んでもかまいません。たとえばお気に入りの食器などを活用してもいいのです。

　草木盆栽であれば、排水性や通気性を考慮して、食器の底に水抜き穴をあける必要がありますが、大気中の水分を葉から直接吸収して生きているコケが主の苔盆は穴をあけなくても支障はありません。

　愛用の古伊万里の蕎麦猪口の口縁が欠けてしまった。でも、補修の仕方がわからない。そんな時は捨ててしまわずに、苔盆の器として活用するのも一案です。時代がのった骨董品が持つ枯淡の味わいが盆景を一層引き立たせてくれることでしょう。

器あれこれ

貝殻のようなフォルムを持つ素焼きの碗。池田満寿夫作。

シンプルかつコンテンポラリーな白磁碗。高橋和也作。

器面に洒脱な絵が描かれた江戸時代後期作の蕎麦猪口。

卓越した造形感覚が冴える高台のない碗。塚本誠二郎作。

苔盆作りの七つの道具

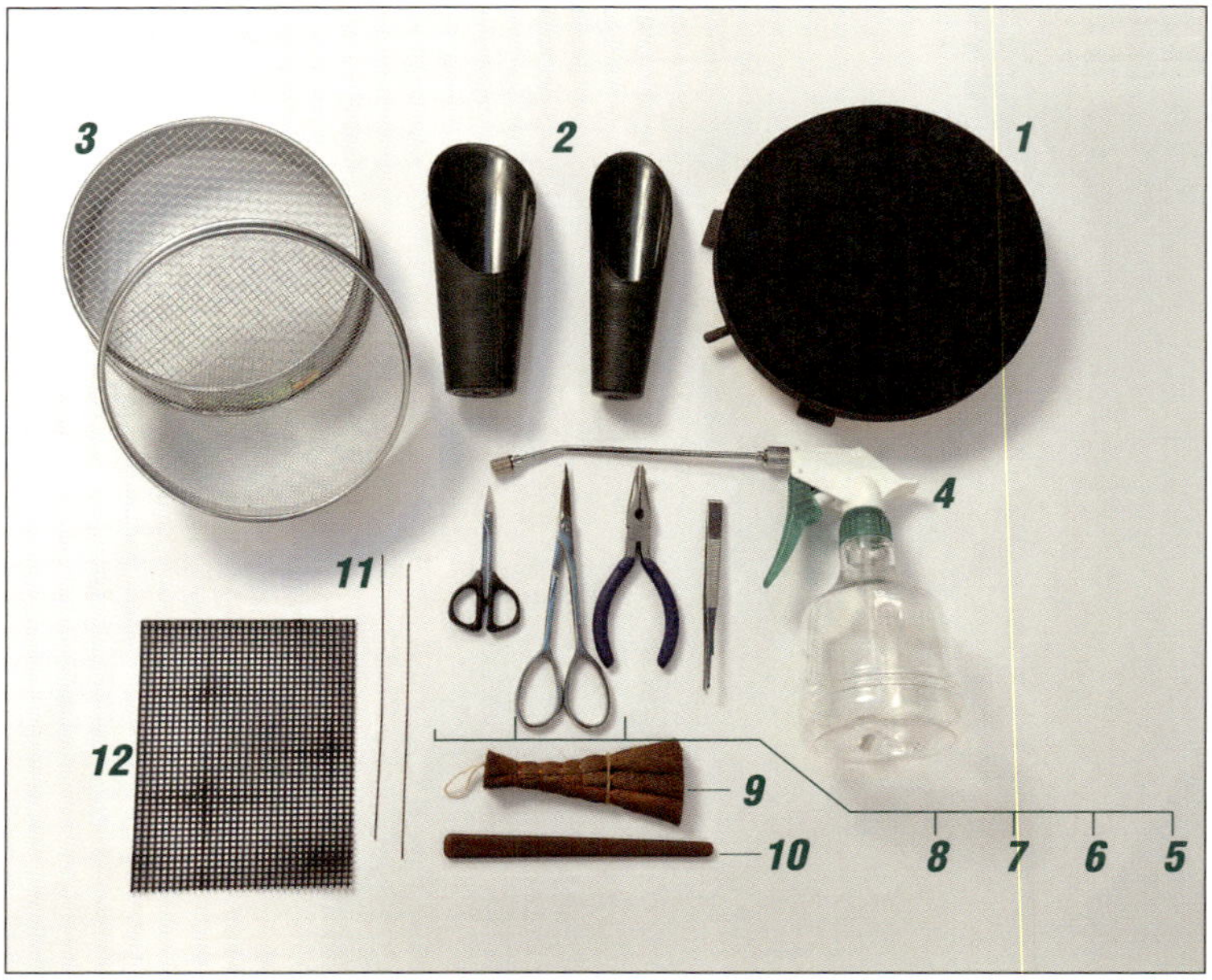

苔盆景を作る上で、揃えておくと便利な道具がいくつかあります。園芸店やホームセンターなどにはいろいろの道具が並んでいますが、これだけあればというものを紹介しましょう。

いずれも高価なものを求める必要はありませんが、長く使用するものなので、信用のおける使い勝手のいいものを選ぶようにしましょう。

1. 回転式盆栽台

鉢や器を持ち上げることなく、回転台を回すだけで苔盆の向きを自由に変えられるので便利です。

2. 用土入れ

土を器に入れたり極小の富士砂を入れるときに便利です。サイズは何種類かあるので、使い勝手のいいものを選びましょう。

3. 振るい網

土を振るい分けたり、粒子の大きさを揃えるときに使います。

4. 霧吹き

コケに霧を吹いたり、余分な用土を洗い流すときに使います。

5. ピンセット

コケを張る、土を埋める、山野草を植え込む、雑草を抜き取るなど、いろいろな用途に使います。

6. ペンチ

鉢底ネットにかけるアルミ線を切ったり、捻ったりするときに使います。

7. 中型剪定鋏

盆景の姿を整えるためにコケの葉先を刈ったり、草木の枝を切ったりするときに使います。また、草木を植えるときに余分な根を切るのにも便利です。

8. 極小鋏

小さな山野草の芽摘み、葉刈りなどの細かい剪定に使います。

9. 小箒

コケについたゴミを掃いたり、盆上のほこりを払ったり、富士砂などの表面をならすときにも使います。

10. ヘラ

張りつけたコケを土に埋め込んだり、コケを上から押さえて葉末のラインをクッキリと見せるために使います。

11. アルミ線

鉢底ネットを固定させるために使います。

12. 鉢底ネット

鉢穴の大きさに合わせてハサミなどでカットして鉢底に敷き、土の流出や虫などの侵入を防ぎます。

用土の作り方

耳たぶの柔らかさが目安

土は自然界ではコケの茎葉を支え、周囲の湿度を保持するとともに、水がたまらないように排水する役割を担っています。

苔盆作りでは、コケを流木や石に張りつける場合はケト土を使います。ケト土は河川や湿地に生える水辺植物が堆積し、腐敗したもので、繊維質を多く含んだ粘り気のある黒い土です。保水性にすぐれ、粘着力が強いので、反対に排水性はありません。そこで、苔盆のベースとなる用土としては、ケト土に、排水性や通気性にすぐれている赤玉土と川砂を混ぜ合わせたものを使用します。

赤玉土は関東ローム層の火山灰土の赤土から作られたもので、水はけと水もちが両立しているため、園芸では最もよく用いられる用土です。川砂は花崗岩などが風化して砂となり、河川に堆積したもので、排水性を高めるための改良用土として利用されます。

配合の比率はケト土6割、赤玉土3割、川砂1割とし、よく混ぜ合わせ、耳たぶの柔らかさに仕上げます。硬い場合は水を足し、柔らかすぎたら布や新聞紙などで包んでしばらく置いて水分を抜き取って、硬さを調節してください。

赤玉土
振るい網にかけた極小のものを使用。

川砂
塩分や有機物を含まないものを使用。

ケト土
植物の根などを取り除いたものを使用。

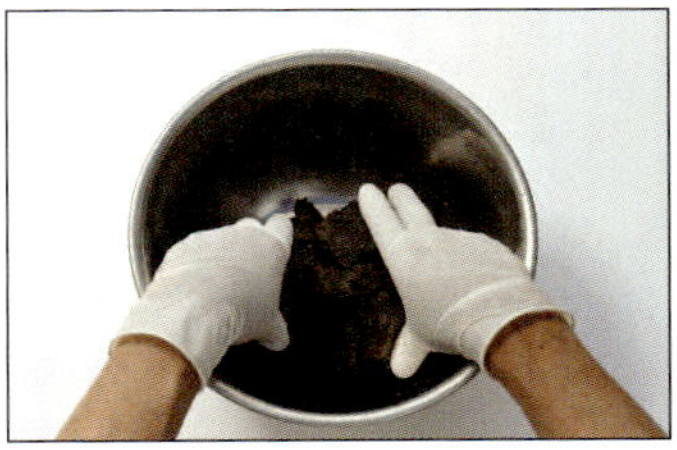

コケや草木の植えつけに必要な用土はケト土6割、赤玉土3割、川砂1割の比率でよく混ぜ合わせ、耳たぶ程度の柔らかさに仕上げる。

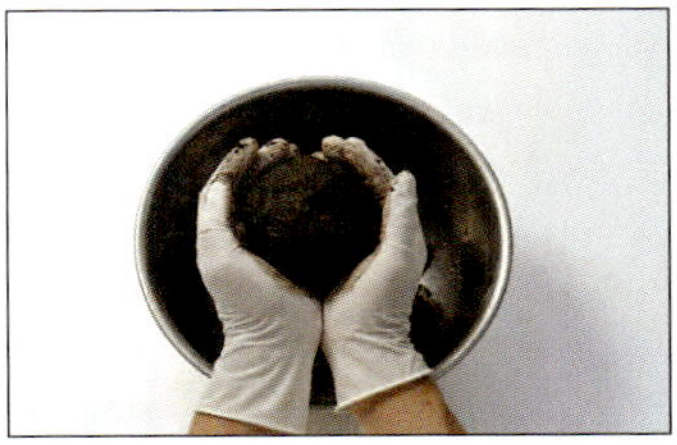

苔盆景の作り方①

苔小鉢

用意する材料

1.トクサ
2.シノブ
3.用土
4.ホソバオキナゴケ
5.蕎麦猪口

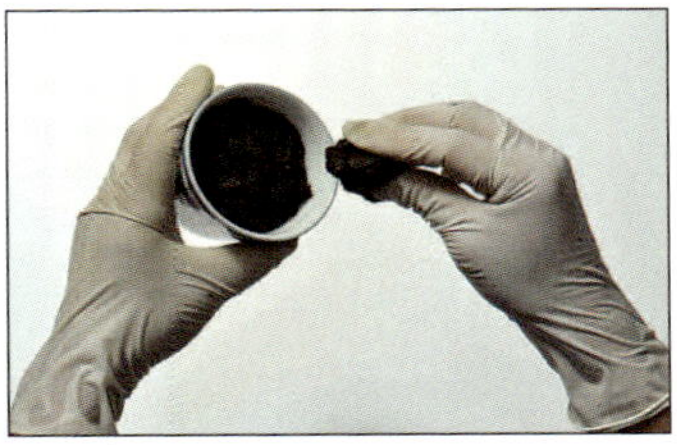

1

コケを張ったり、野草を植え込むために必要な用土を蕎麦猪口に盛り込む。用土の配合は、ケト土6割、赤玉土3割、川砂1割。

2

ホソバオキナゴケの底部に着いた余分な土をおおまかにハサミで切り詰めて、用土に張りつけやすいように整形する。

3

ホソバオキナゴケをすき間なく植えつける。用土と密着するように、つなぎ目や蕎麦猪口の周縁部分はピンセットの背やヘラなどでていねいに押さえつける。

4

トクサを植え込む位置を決め、ピンセットを使ってコケの上から用土に穴をあける。1本ずつバランスを見ながらトクサを植えていく。

5

全体のバランスを見ながらシノブを植え込む位置を決める。トクサと同じ要領でピンセットで穴をあけ、ていねいに植え込む。

6

植え込みが終わったら、霧吹きで水をまんべんなく吹きかけ、蕎麦猪口やホソバオキナゴケの表面についた汚れをよく洗い流せば完成。

苔盆景の作り方② 流木盆景

用意する材料

1.ホソバオキゴケ
2.スナゴケ
3.コツボゴケ
4.ギンゴケ
5.ハマキゴケ
6.ホソウリゴケ
7.フデゴケ
8.スギゴケ
9.ヤグラゴケ
10.オトギリソウ
11.イワマツ
12.モミジ
13.モミ
14.シダ
15.セキショウ
16.溶岩
17.用土
18.流木で作った器

※コケの種類は単品でも作成可能です。

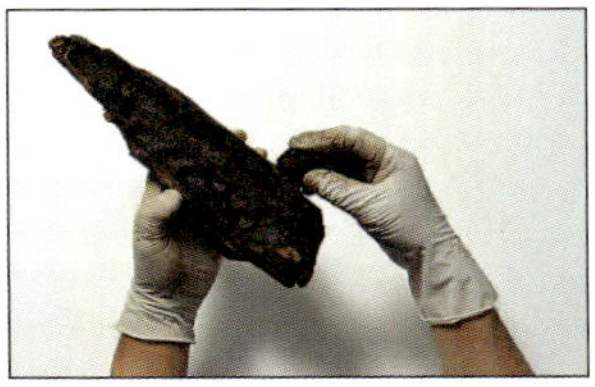

1

コケを張ったり野草を植え込むために必要な用土を流木で作った器に盛り込む。

2

盆景の構図に安定感を持たせるために、作品の中心部分に溶岩を立てて盆景の重心とする。

3

全体のバランスを考え、重心を取りながら、溶岩の左右にホソバオキゴケを張っていく。

4

バランスを見ながらその他のコケをていねいに張っていき、コケ張りを完了させる。

5

草木は一番背の高いモミジを最初に植え込む。

6

モミジとのバランスを見ながら、モミを植え込む。

7

オトギリソウ、シダ、セキショウを用土の中へ押し込むように植えていく。

8

最後にイワマツを植え込めば、レイアウトは完了。

9

霧吹きで水を吹きかけ、コケや草木の表面についた汚れをよく洗い流せば完成。

苔盆景の作り方③

竹盆景

用意する材料

1.ホソバオキナゴケ
2.ハマキゴケ
3.ヤグラゴケ
4.コツボゴケ
5.フデゴケ
6.スナゴケ
7.スギゴケ
8.赤石
9.用土
10.タンナチダケサシ
11.モミ
12.孟宗竹で作った器

※コケの種類は単品でも作成可能です。

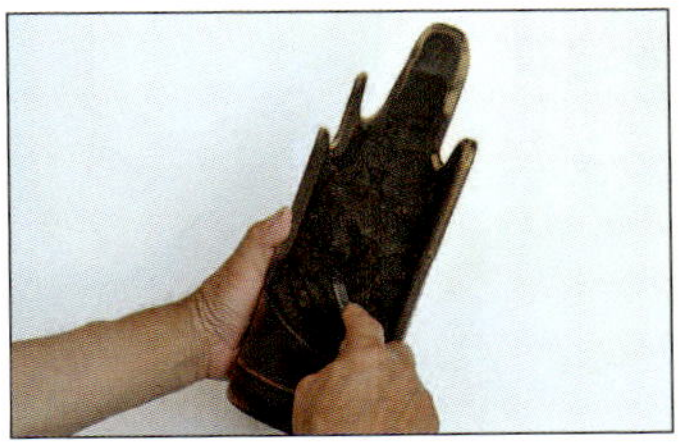

1

コケを張ったり野草を植え込むために必要な用土を孟宗竹で作った器に盛り込む。用土の配合は、ケト土6割、赤玉土3割、川砂1割。

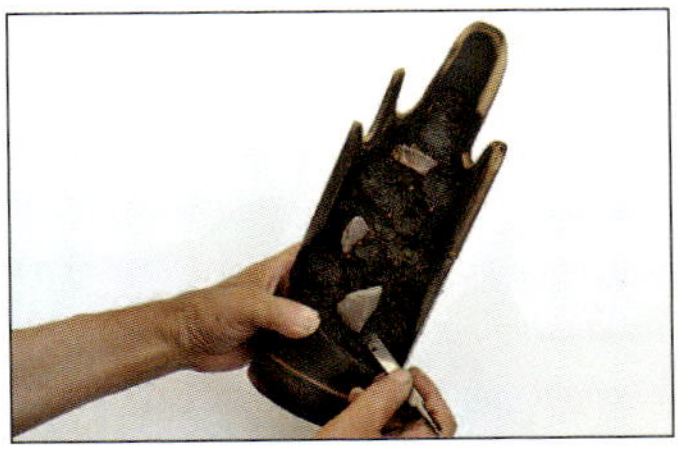

2

赤石を上部、中央部、下部にバランスよく配置して、しっかりと用土の中に埋め込む。

3

ホソバオキナゴケとハマキゴケを張っていく。

4

スナゴケ、ヤグラゴケ、スギゴケをピンセットで植え込む。

5

全体のバランスを見てタンナチダケサシ、モミを植え込めばレイアウト完了。

6

霧吹きで水を吹きかけ、コケや草木の表面についた汚れをよく洗い流せば完成。

苔盆景の作り方④ 水辺盆景

用意する材料

1.手水鉢
2.溶岩
3.ホソバオキナゴケ
4.コツボゴケ
5.ハマキゴケ
6.フデゴケ
7.ホソウリゴケ
8.シノブゴケ
9.用土
10.マイヅルソウ
11.アスパラガス
12.モミ

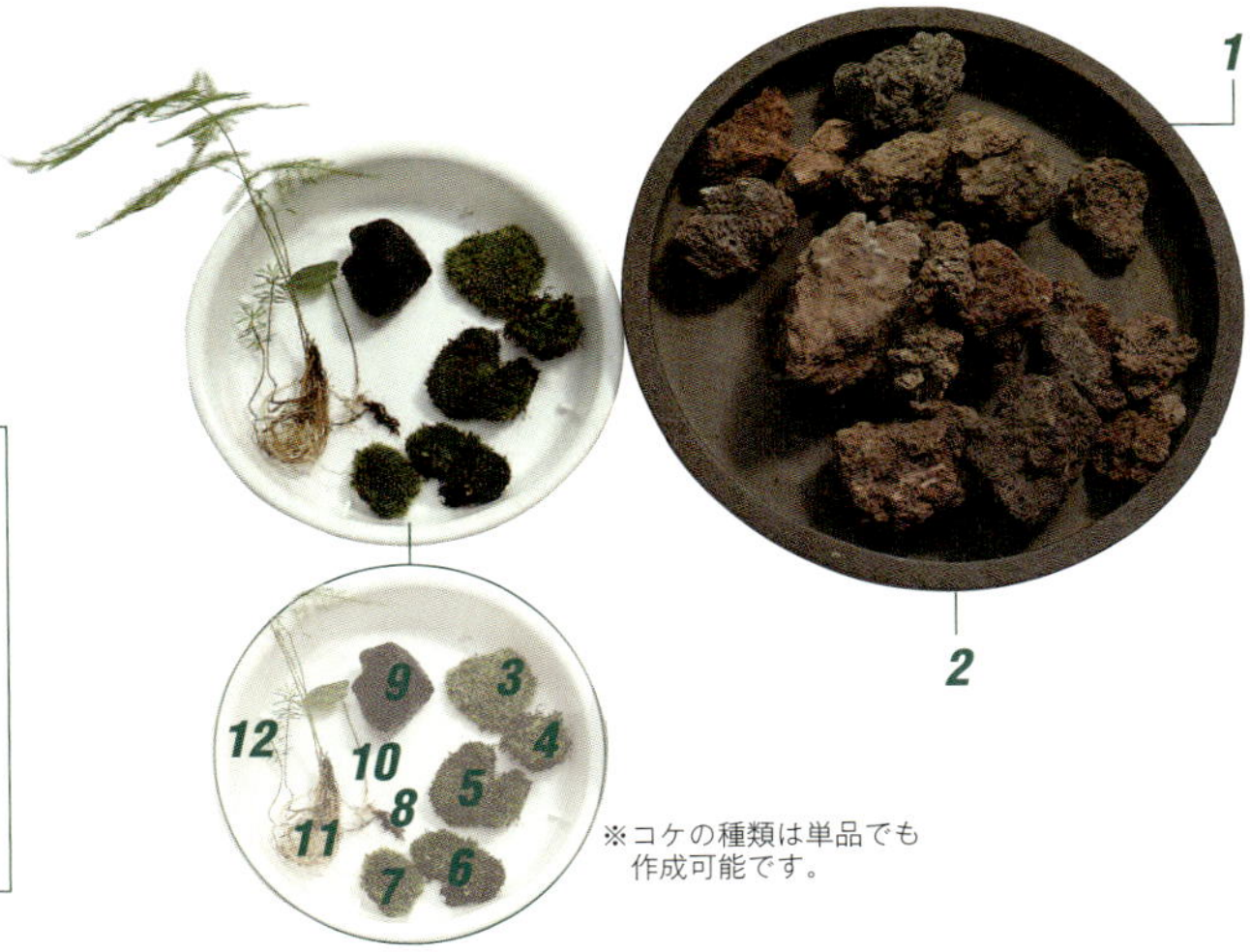

※コケの種類は単品でも作成可能です。

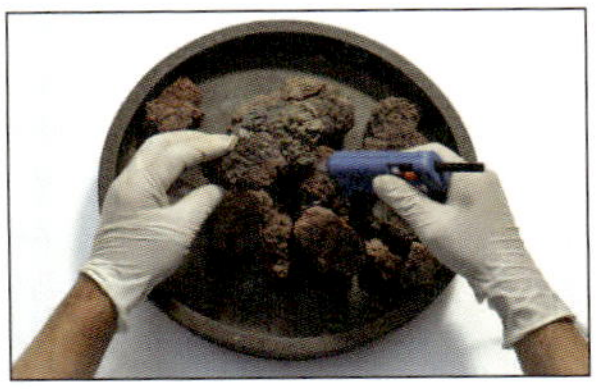

1

接着剤で溶岩を接着し、好みの形に組み上げていく。

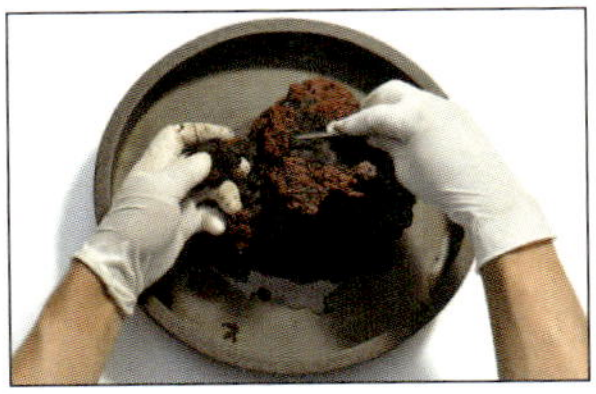

2

組み上がった溶岩の塊のくぼみに用土を埋め込む。

3

ホソバオキナゴケを張る。

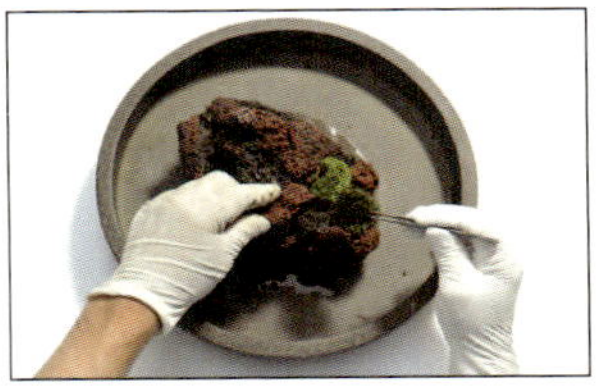

4

コツボゴケを張る。

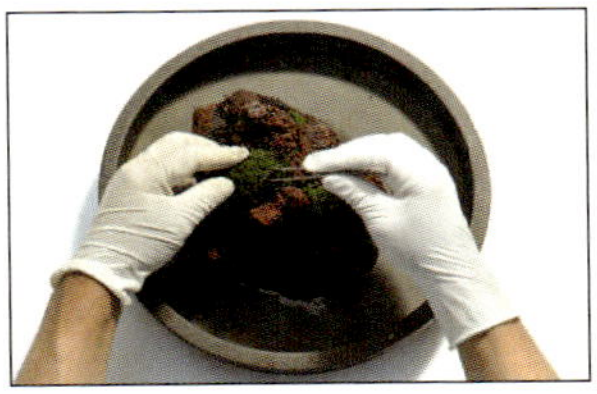

5

ハマキゴケを張る。

6

ホソウリゴケを張る。

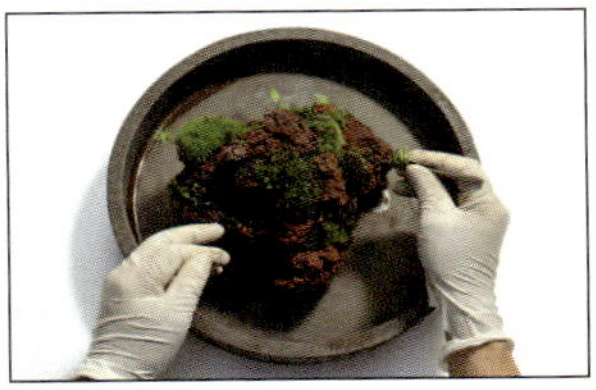

7

全体のバランスを見ながら、マイヅルソウ、モミを植えていく。

8

最後にアスパラガスを植えてレイアウト完了。

9

汚れをよく洗い流して、手水鉢に水を張れば完成。

苔盆景の作り方⑤ 卓上苔庭

用意する材料

1.小判鉢
2.鉢底ネットとアルミ針金
3.溶岩
4.青龍石
5.富士砂
6.用土
7.ホソウリゴケ
8.ホソバオキナゴケ
9.10.ギンゴケ

※コケの種類は単品でも
作成可能です。

1

アルミ針金で鉢底の水抜き穴に鉢底ネットを固定する。

2

富士砂を鉢底が隠れる程度に敷き詰め、表面を平らにならす。

3

石組の基本「三尊石組」にならい、まず中尊石の位置を決めて用土で固定する。

4

中尊石の左右に脇添石を置く。同じような青龍石の三尊石組を鉢内にいくつか作る。

5

色のバランスを見ながら、溶岩を配置して石組を完成させる。

6

石組のすき間にギンゴケを張っていく。

7

ホソバオキナゴケを張っていく。

8

最後にホソウリゴケですき間を埋める。

9

中央部分に水面に見立てた富士砂を敷き詰め、汚れを洗い流せば完成。

苔盆景の作り方⑥ 盆槽

用意する材料

1.ホソバオキナゴケ
2.コウヤノマンネングサ
3.ハマキゴケ
4.コツボゴケ
5.ヒノキゴケ
6.フデゴケ
7.ミズゴケ
8.セキショウ
9.シコタンソウ
10.ヒメタマリュウ
11.モミ
12.ケヤキ
13.マイヅルソウ
14.シダ
15.溶岩
16.アスパラガス
17.水槽

※コケの種類は単品でも作成可能です。

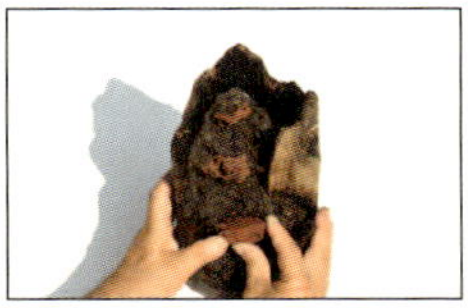

1

流木で作った器に用土を盛り、溶岩を埋め込む。

2

コケをバランスよく張っていく。

3

全体のバランスを見ながら山野草を植え込んで、流木盆景を完成させる。

4

1～3と同様の手順で大、中、小3つの流木盆景を仕上げる。

5

水槽内にミズゴケを敷いていく。前面を低く後ろを高めにし、左右にも高低差をつける。

6

ミズゴケの上にホソバオキナゴケ、ハマキゴケ、フデゴケ、コツボゴケを張っていく。

7

コウヤノマンネングサ、ヒノキゴケを植え込む。

8

バランスを見ながらシダ、イワマツを植え込む。

9

アスパラガスを植え込めば、水槽内のレイアウトは完了。

10

流木盆景をおく場所に富士砂を敷き詰める。

11

富士砂のほぼ中央にアクセントをつけるために溶岩を配置する。

12

先に完成させておいた3つの流木盆景を、水槽内にバランスよく配置すれば完成。

コケと苔盆の管理

コケは陽光と水で育つ

　コケは荒れた表土に最初に育つきわめて順応性の高い植物です。土のないところでも生育し、太陽光と水さえあれば成長します。また、1～2ヵ月乾燥した状態にあっても、雨が降ると小さな葉を広げ、もとの青々とした姿に復活して生育を始めます。中には水分補給せずとも自ら仮眠状態となって一年以上も生命を維持する品種もあります。

　これは種子植物などのように根から栄養や水分をとらないことに由来しています。スギゴケやヒノキゴケのように腐葉土質の地面に生える品種もありますが、コケはほとんど栄養を必要とせず、空気中の水分を葉の表面から直接吸収しています。

水やりは朝夕2回

　エアコンや暖房の効いた室内環境はコケの生育にとってはよくありません。いくら乾燥に強いといっても、水をやらなければ枯れてしまうし、小さな作品ほど湿度の影響を大きく受けます。室内でコケを育てる場合は、朝夕2回の散水が理想です。

　コケは空気が乾燥してくると、葉を閉じて水分の蒸発や日焼けを防ごうとします。好日性のスナゴケやスギゴケなどは日焼けや蒸れを防ぐために、乾燥するとすぐにしぼむ能力があります。種類によっては葉先がチリチリに捻じれてしまうコケもあります。このような状態になったときは水分を要求していますので、霧吹きなどで全体をまんべんなく濡らしてください。

　水やりで注意しなければいけないのは、蒸れです。いずれのコケも蒸れには非常に弱いので、日中の水やりは避けるようにします。特に夏場の日中は、コケに含んだ水の水温が急上昇して蒸れてしまい、枯れてしまうので厳禁です。一年を通じて、早朝か夕方にたっぷりと水やりをするのがいいでしょう。

コレクションボックスを簡易保湿容器として利用

　しばらく家を留守にするときは、苔盆を気密性の高いボックスや空気穴を空けたビニール袋などに入れて、日影の涼しい場所に置くといいでしょう。たっぷりと水をやっておけば最長で10日間ぐらいは大丈夫です。

　また、管理の苦手な人や、忙しくて毎日の水やりができないという人にもコレクショ

乾燥状態のスナゴケ。

▼

水で濡らすと瞬時に葉を開く。

水やりは朝夕２回の散水が理想（下）。コケは乾燥するとすぐにしぼむ能力がある。品種によっては葉先を巻いたり捻じれてしまうものもあるが、霧吹きなどで濡らせば瞬時に葉を広げる。写真はスナゴケ（左）。

ンボックスはおススメです。ある程度密閉された空間で水分の蒸発が少ないので、5日～6日に一度の霧吹きで湿潤な環境が保てます。

置き場所は、冷暖房の風が直接当たったり、風通しがよすぎる場所は避けてください。磨りガラスやレースのカーテン越しに陽光が差す明るい窓際が理想的です。コケは日陰を好むと思っている人が多いようですが、光合成によって命をつないでいます。部屋の中で管理する場合でも、4～5日に一度は必ず木漏れ日程度の日光に当てるようにしてください。

根からの栄養を必要としないコケにとって施肥は必要ないし、過度な肥料は逆効果になります。特に油かすはコケが枯れてしまうので絶対に与えないでください。山野草を植えている苔盆には、ハイポネックスなどの水肥を薄めて与えるといいでしょう。

室内での置き場所は磨りガラスやレースのカーテン越しに陽光が差す明るい窓際が理想的（右）。コレクションボックスは湿潤な環境が保てる（左）。

枯れたコケは張りかえる

コケは環境が変わると変色したり枯れたりします。丹精を尽くせば、やがてコケは再生しますが、非常に時間がかかります。

変色してしまった苔盆を早く再生させたい場合には、コケを張りかえるのもひとつの方法です。苔盆を長く観賞する上では必要な作業で、何度か再生を繰り返すうちに、盆景も少しずつ変化して、愛着も深まることでしょう。

変色した苔盆

1.新しいコケを用意する。

▼

2.変色した部分をピンセットで取り剥がす。

▼

3.硬くなっているケト土に水をつけて柔らかくするか、新しいケト土を盛る。剥がした部分に新しいコケを張りつける。

▼

4.霧吹きなどではみ出たケト土を洗い流せば完成。

1

2

3

4

再生した苔盆

コケの増やし方

コケを培養して増やす場合、植えつけ方には「蒔きゴケ法」「移植法」「張りゴケ法」の三つの方法があります。栽培したいコケの種類によって敵・不適がありますので、植えつけるコケの特性に合わせて選択しましょう。

蒔きゴケ法

多くのコケは葉そのものから増えることができるという特性を生かした方法で、スナゴケやギンゴケ、ハイゴケなど、丈夫で繁殖力が旺盛な品種に向いています。

まず、パレットや植木鉢などに、赤玉土大粒6割、川砂2割、腐葉土2割を混合した用土を均等に盛ります。赤玉土大粒はコケを固定し、川砂は排水性をよくし、腐葉土は湿度を保持する役割があります。混合の割合は厳密なものではなくて、コケの特性や栽培場所の環境に応じて変えてもかまいません。

苗床が用意できたら、次はタネになるコケをバラバラにもみほぐし、重ならないようにまんべんなく蒔きます。そして、赤玉土細粒5割、川砂5割を混ぜた目土をタネゴケが半分くらい埋まる程度にかぶせます。

最後に十分に水を与えて、キッチンペーパーや新聞紙などを上からかぶせて、庭やベランダなどの風通しがよく、夜露や雨が当たる場所に置きます。

環境や品種によっては上手く育たない場合もありますが、水やりを続けて乾燥させなければ一～二カ月後には新芽が出てきます。

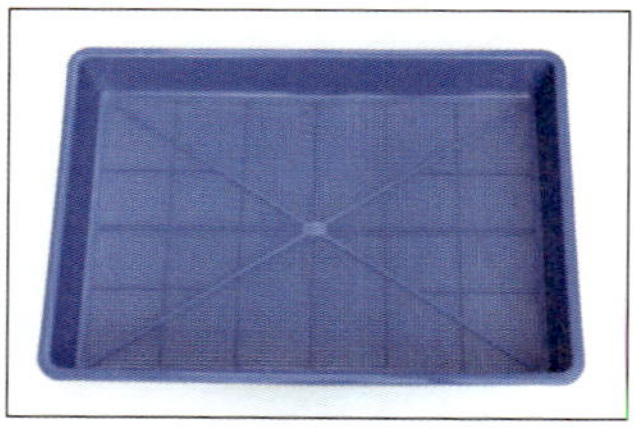

1

コケを植えつける苗床（底穴つきパレット）を用意する。

2

パレットに均等に用土を盛り、表面を平らにならす。

3

タネになるコケをバラバラになるようにほぐす。

4

タネゴケが重ならないようにまんべんなく蒔く。

5

タネゴケが見え隠れするぐらいまで目土をかける。

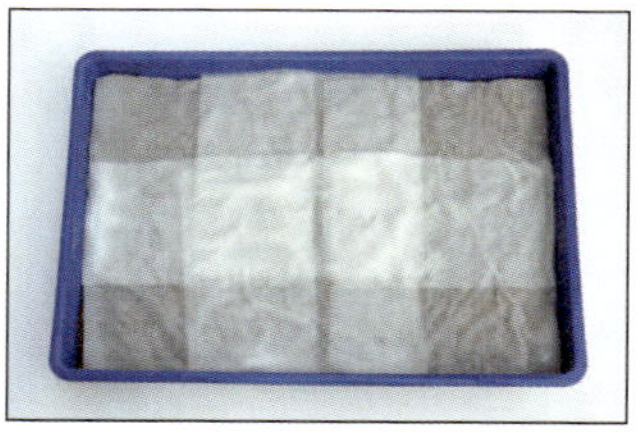

6

十分に散水し、キッチンペーパーなどをかけておく。

移植法

地下茎で増えるヒノキゴケやコウヤノマンネングサ、また、スギゴケやタチゴケなど、縦に伸びる品種に適した植えつけ方法です。

ピンセットの先で培地に穴をあけ、タネになるコケを束状にして一定の間隔をあけて植えつけます。手間がかかり、すき間が多くできるので見栄えは劣りますが、定着しやすい方法です。

植えつけが完了したら、タネゴケをハサミで刻み、すき間に蒔きます。

そして、その上から目土をし、十分に散水して落ちつかせます。

1

タネゴケを束状にして培地に植えつけていく。

2

タネゴケをハサミで細かく刻み、すき間に蒔く。

3

目土をして、ジョウロや霧吹きで散水して落ちつかせる。

張りゴケ法

土がついた状態でマット状になっているコケに向く植えつけ方で、もっとも一般的に行なわれる方法です。

まず、タネゴケについたよぶんな土をハサミで取り除きます。次に用土に密着固定します。コケと用土の間にすき間があるとはがれて枯れることがあるので、少々強めに押さえつけます。

そして、コケの端と用土の表面にできた段差がなくなるように目土をし、散水して落ちつかせます。

1

タネゴケについたよぶんな土をハサミで取り除く。

2

コケと用土の間にすき間がなくなるまで少々強めに押さえつける。

3

コケの端と用土の表面にできた段差を埋めるために目土をする。

苔盆景に趣を加える小道具

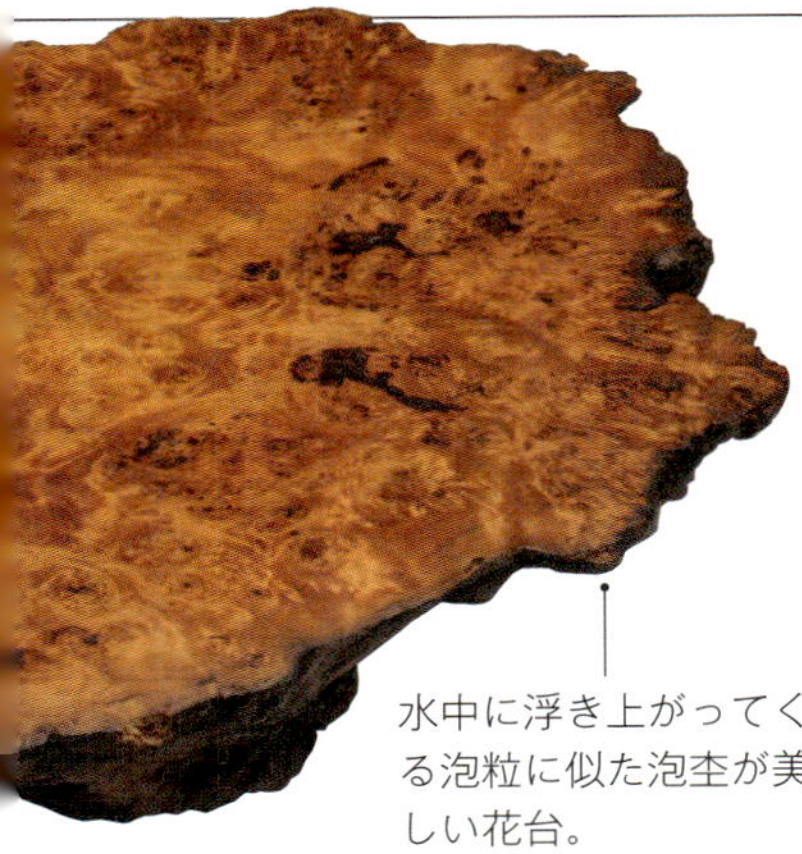

水中に浮き上がってくる泡粒に似た泡杢が美しい花台。

長方鉢におさめた盆景が映える紅酸枝木小卓。

卓や棚に飾る

盆養家は丹精した作品を盆棚から選び出し、取り合わせ、さまざまな卓や棚に飾って季節の一景を作り上げます。飾り方は三点の平飾りが基本形ですが、床の間などの改まった席には函飾りにし、日々の傷心を癒してくれる小樹を愛でるのです。

苔盆も一鉢の中に深山幽谷の景をおさめ、そこに神仙の理想郷を具現する点においては盆栽という芸術形式と変わりなく、箱型に作られた棚卓

時代を経た木肌が味わい深い脚付花台。

波風に浸食された高知県西南地域
の表情豊かな奇岩。

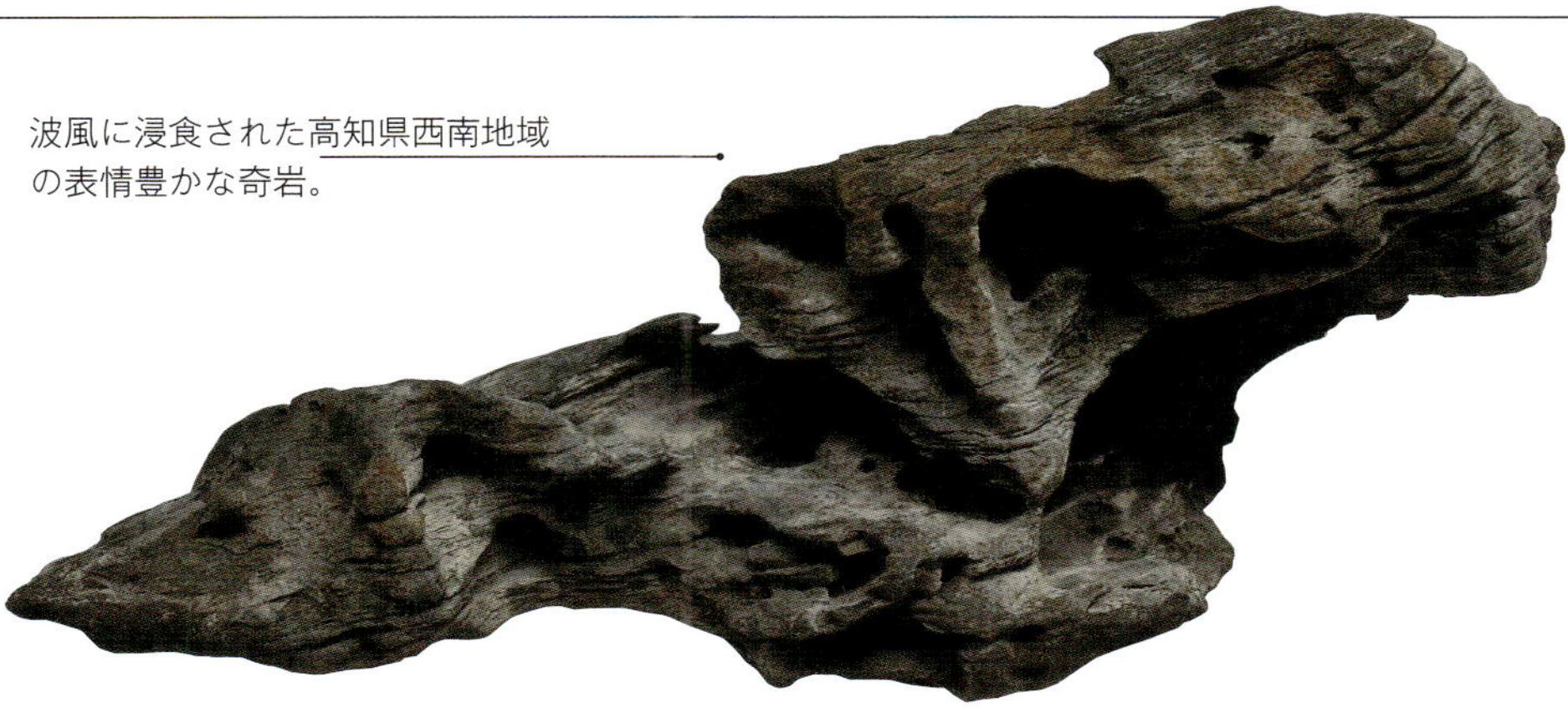

を用いて、いくつかの鉢や添景、添え草などを飾れば、一鉢では味わえない幽玄微妙な趣が愉しめることでしょう。

卓や棚は高価なものを求める必要はありません。たとえば拾ってきた流木や廃材を組み合わせて作った棚には市販品にはない魅力があります。苔盆を演出するオリジナルの卓や棚を自作してみるのも一興です。いろいろ工夫してみてください。

北上川の緑輝石と厳島神社の大鳥居の
フィギュア（海洋堂製作）。

北海道神居古潭
渓谷の水石。

福島県摺上川の色石。

流木を素材にした小品用の飾り棚。

象牙と黒檀でできた福禄寿。道教で強く希求される幸福、封禄、長寿の三徳を具現化した神仙。宋の道士天南星や南極星の化身ともされる。

今にも動き出しそうな擬人化されたトウキョウダルマガエル（右）とニホンアマガエル（左）。低温焼成の陶土製（造形監修・彩色：山岸学雄　成型：西本純子）。

山水風物詩の世界を楽しむ

茶の湯の流行とともに室町時代には盆石と呼ばれる愛石の趣味が盛んになりました。本来はひとつの石だけを盆に据えて鑑賞するものだったのが、時代が下るとともに盆山や盆景などと呼ばれるようになり、丸盆などに大小の石を置いてコケや草木を植えたり、家の模型を置いたものまで現れたと物の本には記されています。

江戸の天保年間に墨江武禅が著した園芸書『占景盤』には擂鉢に石を立て、松を植え、さらに楼閣などを置いて、深山に遊ぶ文人を表している盆山が描かれています。この箱庭的要素をたぶんに含んだ盆景は「占景盤」あるいは「鉢山」と称され、大阪におこり名古屋地方にまで流行が及んだようです。

この「占景盤」にならって山水の景情を連想させて愉しませてくれる水石や、小さな動物や人物、神仙、家などの添配をコケと組み合わせてあしらえば、苔盆に趣が加わり、山水風物詩の世界を楽しむことができます。

ちなみに、添配とは盆栽を引き立ててくれる小物のことをいい、水石は山水景情石がちぢまってできた呼称だといわれています。

象牙でできた布袋。中国浙江省に実在したとされる伝説的な僧。本来の名は釈契此（しゃくかいし）だが、常に袋を背負っていたことから布袋という俗称がつけられた。日本では七福神の一柱として信仰されている。

象牙でできた寿老人。不死の霊薬が入った瓢箪を運び、長寿と自然との調和のシンボルである鹿を従えている。福禄寿と同一神とされることもある。

苔盆景に使いたい草木あれこれ

ヒメユキノシタ

ユキノシタ科の多年草。湿り気の多い半日陰の岩場などに生育する。地表面に多数の匍匐茎を出し、その先端に新しい個体を形成して繁殖する。葉は円腎形で、表面には葉脈に沿った模様がある。姫性のユキノシタの葉はもともと小さいが、小鉢で育てると更に小さくなる。

シコタンソウ

ユキノシタ科の多年草。和名は色丹島で発見されたことによるが、中部地方以北の高山の乾いた岩場や砂礫地などで見られる。7～8月には、3～13㎝の花茎に2～10個の可憐な花をつける。花弁は5枚。白または淡黄色で、紅色から黄色へのグラデーションがかった細点がある。

タンナチダケサシ

朝鮮半島原産のユキノシタ科の多年草。タンナとは済州島のこと。草丈が10～20㎝と低いことから、日本では鉢植えの園芸用として流通。華やかさはないが、赤みを帯びた茎は楚々とした風情があり、他の花との寄せ植えに向く。花期は6～8月で、乳白色の小花を多数つける。

ミセバヤ

ベンケイソウ科の多年草。古典園芸植物のひとつで園芸用に栽培されているものが全国各地に見られる。葉は多肉質、扇形で3枚が輪生する。10～11月、茎頂に淡紅色の5弁の小花を球状に多数密集してつける。栽培は容易で、腐葉土を入れた排水のよい土を用い、十分日に当てる。

ヒメタマリュウ

ユリ科の常緑多年草。ジャノヒゲの矮性品種で、葉は短く外側にそる。東アジアの森林に広く分布し、半陽地を好むが、陽地や陰地などの悪条件にも耐える。また草丈も大きくならないため、よく植え込みに用いられる。花期は6～7月で、総状花序に淡紫色の小さい花をつける。

マイヅルソウ

ユリ科の多年草。ユーラシア北東部と北アメリカ北西部に分布し、日本では北海道から九州の山地帯上部から亜高山帯の針葉樹林に多く群生する。茎の高さは5～25㎝ほどで、途中に2枚のハート形の葉をつける。花期は5～7月で、白色で花被片が4枚の小さな花を総状につける。

ヒナソウ

北米原産のアカネ科の多年草。日本へは昭和時代の終わりごろに園芸植物として導入され、今では帰化植物になっている。自生地は湿った草原や岩の傾斜地で、地下茎で広がり草丈は5～20㎝になる。花期は3～6月で、茎の先に4裂した小さな白色または淡青色の花をつける。

フイリセキショウ

サトイモ科の常緑多年草。葉は根茎上に二列につき、3～5月に花茎を出し、細長い肉穂花序をつける。水辺の岩上や砂礫地などの湿った場所に群生する。涼しげな葉のラインを生かして、水辺の植栽や花壇の縁どりなどに用いられる。性質は非常に強健で、日陰でもよく育つ。

シノブ

シノブ科の多年草。山中の岩や樹木に着生。根茎は褐色の鱗片を密にかぶり、葉身は三角形で繊細に切れ込んで美しい。葉は冬に落ちる落葉性。ただし、南西諸島のものは常緑である。江戸時代からシュロ皮などを丸く固めたものにシノブをはわせ、軒下などに吊り下げて鑑賞した。

ミズトクサ

トクサ科の多年草。浅水中や湿地に生育するシダ植物で、小鉢に向く。寒さに強く屋外でも越冬し、草丈は20～80㎝程度にまで生長する。地下茎により横へ広がる。冬場は一度枯れたようになるが、株が残り、翌年も生育するので、1年を通して水を切らさないように注意する。

ウォーターコイン

北米原産のセリ科の常緑多年草。ウチワゼニクサ、ウォーターマッシュルームとも呼ばれる。沼や沢に自生し、匍匐茎を伸ばして増える。水中から長い葉柄を出し丸い葉を広げる。花期は6～10月で、茎の先端に小さな球状の白い花を密集してつける。低温に強く、性質は強健。

ユキヤナギ

バラ科の落葉低木。別名にコゴメバナ、コゴメヤナギなどがあるが、ユキヤナギという和名は3月から5月にかけて5弁の小さな花を降り積もった雪のように枝全体につけるさまに由来する。非常に丈夫で手をかけなくても生長し、春の花、夏の青葉、秋の紅葉と一年中愉しめる。

イロハモミジ

カエデ科の落葉高木。日本では最もよく見られるカエデ属の種で、紅葉の代表種。東アジアに自生し、日本では本州以南の平地から標高1000m程度にかけての低山で多く見られる。葉は掌状に深く5～9裂し、和名は、この裂片を「いろはにほへと……」と数えたことに由来する。

ナンテン

中国原産のメギ科の常緑低木。初夏に白い花が咲き、晩秋から初冬にかけて赤色(まれに白色)の小球形の果実をつける。古典園芸植物のひとつで、和名が「難を転ずる」に通ずることから縁起のいい木とされ、鬼門または裏鬼門に植えるといいという俗信が生まれ、庭木に利用された。

ハゼ

ウルシ科の落葉小高木。日本には果実から木蝋を採取する資源作物として、江戸時代に琉球王国から持ち込まれた。葉は奇数羽状複葉で9～15枚の小葉からなる。花期は5～6月で、黄緑色の小さな花をつける。俳句の世界では秋に紅葉するハゼを櫨紅葉《はぜもみじ》とよび秋の季語としている。

イワヒバ

イワヒバ科の常緑多年草。樹上や岩上に着生するシダで、イワマツの別名でも呼ばれる。江戸時代から改良が進められた古典園芸植物で多くの品種がある。枝は放射状に密生し、羽状に分枝する。葉は鱗片状で独特の姿をしている。耐寒性は強く、ある程度日当たりのよい環境を好む。

ヤツブサエゾマツ

マツ科の常緑針葉高木。エゾマツとともに北海道の木に指定されているアカエゾマツの矮性種で、樹皮がエゾマツより赤みがかっている。トドマツやエゾマツと混交するが、湿原の周辺や岩礫地に純林を形成する。極めて生長速度が遅く、枝が徒長しないため盆栽に最適で重用される。

カラマツ

マツ科の落葉針葉高木。フジマツ、ラクヨウショウ、ニッコウマツなどの別名もある。樹皮は暗褐色で裂け目ができて長い鱗片となってはげ、その跡は赤みを帯びる。寒気に強く、天然分布は宮城県以西の関東、中部地方で、おもに亜高山帯に多く自生する。日陰では育たない。

モミ

マツ科の常緑針葉高木。日本のモミ属中もっとも温暖地に分布し、北端は秋田県、南端は屋久島に達する。モミ属全般に樹皮が白っぽい灰色である樹種が多いが、モミの樹皮はかなり茶色がかっている。葉は硬い針状で先端は2つにわかれて尖るが、老木は先の丸まった葉をつける。

第3章

苔庭礼賛

こけにわらいさん

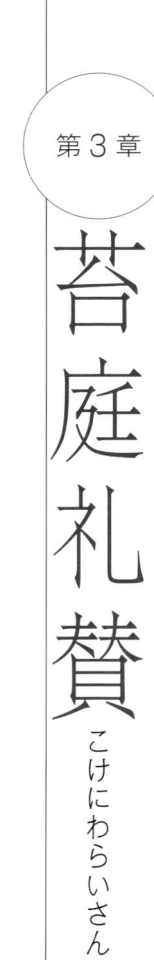

力強い石組とモダンなコケの地割りで
構成された東福寺本坊の庭宇宙

臨済宗大本山 東福寺

苔庭の手本となる枯山水を訪ねる

自然の風景を手本とする日本庭園の様式のひとつに枯山水庭園があります。池や遣水などの水を用いず、石や砂などによって山水の風景を表現する庭園様式で、たとえば白砂や小石を敷いて水面に見立てたり、石ひとつで大きな山や大海に浮かぶ島をイメージさせるなど、象徴性を旨としています。

この日本独特の庭園文化は室町時代の禅宗寺院のなかで生まれ、完成されました。平安時代にも一部に枯山水を含んでいる庭園がありましたが、独立した庭園として造られるようになったのは禅宗寺院で用いられて以降のことです。では、なぜ枯山水庭園は禅寺の方丈庭園として発展したのでしょうか？　その背景には禅の修行形態があります。禅の修行は、深山幽谷の大自然の中で行なうことを理想とします。やむを得ず室内や街中で修行するときは、理想とする大自然を仮に再現するのです。そのため禅宗寺院では、水墨山水画や枯山水庭園が必要とされたのです。

京都には一般に公開されている有名な禅宗寺院の枯山水庭園がいくつかありますが、ここではウマスギゴケの植栽が非常に美しい東福寺本坊の方丈庭園「八相の庭」と、東福寺の塔頭寺院のひとつである芬陀院《ふんだいん》の「雪舟庭園」を紹介しましょう。

方丈の東西南北に配された八相の庭

臨済宗東福寺派大本山である東福寺の開基(創立者)は九條道家で、寛元元(1243)年に禅僧・聖一国師円爾《しょういちこくしえんに》を開山(初代住職)として迎えました。明治の廃仏毀釈で規模が縮小されたとはいえ、今なお

25カ寺の塔頭寺院を有する大寺院です。

　この東福寺本坊の庭は、庭園史研究家としても多大な功績を残した昭和期の作庭家・重森三玲の作で、完成は昭和14(1939)年。実質的な彼の処女作にして代表作です。禅宗の方丈には古くから多くの名園が見られますが、東福寺本坊は異色で、方丈の四周

東福寺南庭

蓬莱、方丈、瀛洲、壺梁の四仙島。奥が五山を表した築山。表唐風破の表門は明治42（1909）年に造営され、昭憲皇太后より下賜されたものと伝わる（上）。

にそれぞれに特色がある庭が配されています。そして、東西南北に配された様相を異にする庭には「蓬萊《ほうらい》」「方丈」「瀛《えい》洲《じゅう》」「壺梁《こりょう》」「八海」「五山」「井田《せいでん》市松《いちまつ》」「北斗七星」が表され、釈迦の「八相成道(生涯の八つの重要な出来事)」にちなんで「八相の庭」と命名されています。

東福寺東庭

東司に使われていた柱石を星座の形に据えた「北斗の庭」。現代芸術の抽象的構成を取り入れた伝統とモダンが見事に融合している(下)。

東福寺西庭

くず石で井の字を描き、そのなかに正方形に刈り込んだサツキを植えて大きな市松模様に図案化している(左)。三尊石組の周りに密生したウマスギゴケの緑が目に優しい(下)。

ウマスギゴケで覆われた築山

南庭（72〜75頁）は広さ二一〇坪の伝統的な枯山水で、伏せるように組まれた丹波産の3つの長石を中心に、その周りに滋賀県産の怪石などが剛健に配されています。これは、仙人が住む蓬莱、方丈、瀛洲、壺梁の四仙島を表現したもので、その周りには渦巻く砂紋によって八海の荒波が表されています。

そして、西方には臨済宗の五山（天竜寺、相国寺、建仁寺、東福寺、万寿寺）がウマスギゴケに覆われた築山として表現されています。

北斗七星の庭と井田市松の庭

東庭は雲文様の地割に円柱の石を配して北斗七星を構成し、「北斗の庭」と呼ばれています。星に見立てた7つの石は、もと東司《とうす》（重要文化財、旧便所）の柱石の余りを利用したもので、北斗七星の後方には天の川を表した生け垣が配されています。

西庭はさつきの刈込みと砂地がくず石で方形に区切られ、大きく市松模様に図案化されています。この意匠は、井の字に等分した古代中国の田制「井田」にちなみ「井田市《せいでんいち》松《まつ》」と呼ばれています。

敷石とコケが織りなす市松模様の北庭

北庭は恩賜門に使われていた敷石とウマスギゴケを幾何学的な市松模様に配し、規則正しく並んだ石が奥にいくにつれて背景にとけ込むように構成されています。

伝統とモダニズムが巧みに織り込まれた造形が印象的で、彫刻家のイサム・ノグチは、この庭を「モンドリアン風の新しい角度の庭」と評したといわれています。

秋はウマスギゴケの緑に加えて背景のモミジや唐楓が色づいて、錦秋の庭になります。

東福寺北庭

敷石とコケによる市松模様は新造形主義を提唱したオランダの画家・モンドリアンの絵画を彷彿とさせる。

雪舟等楊禅師作庭

芬陀院鶴亀の庭

ウマスギゴケの海原に浮かぶ鶴島と亀島

　芬陀院は元亨年間（１３２１～１３２４年）に関白だった一条内経《うちつね》が父の菩提を弔うために創建した塔頭で、以来、今日に至るまで一条家の菩提寺になっています。当院の南庭は、室町時代に活躍した禅僧で、日本の水墨画を大成させたことから画聖とも称えられる雪《せっ》舟等楊禅師《しゅうとうようぜんし》によって寛正・応仁（１４６０～１４６８年）のころに作庭されたと伝えられています。

　作庭時代が本格的な枯山水の生まれる以前のことから、地割は池庭様式で、鶴島と亀島をそなえる蓬莱式。京都で最古の枯山水庭のひとつにかぞえられています。

　芬陀院は17世紀、18世紀の二度にわたって焼失し、庭園も一時荒廃していましたが、昭和14（１９３９）年に重森三玲が修理にあたり、一石を補

芬陀院南庭

雪舟等楊禅師の作庭と伝えられる南庭。左奥が鶴島、右手前が亀島。雪舟が石を組んで亀を描いた夜、なんとその亀が動き出したという。そのことを住職から聞かされた雪舟が亀の甲に大きな石を載せたところ、以来、亀は動かなくなったという。確かに亀島の中央には大きな石が立てられている。

芬陀院東庭

重森三玲作庭の東庭。蓬莱の連山を表した石組とコケが調和して、図南亭の丸窓からの眺めは楚々とした風情を見せる。

足することもなく復元しました。向かって左側の鶴島は折鶴を、右側の亀島は二重基壇によって亀の姿が表され、それぞれがウマスギゴケの海原に浮かんでいます。

この南庭を復元修理した重森三玲は、そのときに、方丈の東側にも蓬莱の連山を表した鶴亀の庭を小石を組んで創作しています。小さいながらもコケと石組が調和した見事な庭で、茶室「図《と》南亭《なんてい》」の丸窓からの眺めは楚々として、趣深い佇まいを見せています。

手軽にできる苔庭造り

ベランダや庭の一隅に苔庭を造る

苔庭と聞くと、つい名刹の庭園などを連想し、はなっから造ることをあきらめてしまいがちです。しかし、坪庭であればどうでしょう？　京都では、その昔から狭くて限られた敷地の中に坪庭が造られてきました。そんな坪庭を、コケを主体にしてベランダや庭の一角に造るのです。

たとえ小さくて限られた空間であったとしても、工夫を凝らせば茶の湯の露地にも通ずるような世俗との一境が設けられます。蹲踞も石灯籠も置かず、飛び石を配す必要もありません。石組と文人木、そして、厚いコケが少し寂れを見せて生えているだけで、詫びの風情をひとしお強くしてくれることでしょう。

ベランダ苔庭

奥を高く手前を低くデザインする

苔庭造りは、苔盆作りと同じように、まずはイメージを固めながらデザイン画を描くことから始めましょう。配置する石や植栽する草木を描き入れ、コケを張る位置を大まかに決めます。造る場所の環境にもよりますが、コケの品種は丈夫で管理しやすいものを選ぶようにしましょう。

ホソバオキナゴケやアラハシラガゴケは半日陰を好むコケですが比較的丈夫なので、

日陰でも育つので、毎日の水やりが大変だという人にも育てやすい品種です。日当りがいい場所であればスギゴケやスナゴケがいいでしょう。

苔庭のデザインのポイントは、奥を築山風に高くして、手前にくるほど低くなるように起伏をつけることです。こうすることで水はけや見栄えがよくなります。

名のある庭園を数多く訪ねると、三尊石に鶴石、亀石といった類型化された形をよく目にします。それはいわば庭園の黄金率のようなもので、大変にすわりがよくて、日本人が石や樹に託した想像力の広がりを感じ取ることができます。

従来の枠にはまらない自由な空間を創造するのも一興ですが、初めて造る苔庭は、昔から庭の景観を造るために用いられてきた技巧的な美を真似てみると失敗が少なくてすむでしょう。

苔庭の造り方① ベランダ苔庭

用意する材料

1.ヨシズ
2.流木
3.青龍石
4.河原石
5.ウッドデッキ
6.ケト土
7.川砂
8.赤玉土
9.ビニールシート
10.白玉小石
11.ホソバオキナゴケ

1

市販のウッドデッキを用意して、設置する場所の広さや形状に合わせて加工する。

2

コケを張るための用土が容れられるようにウッドデッキの周りを流木で囲う。

3

ウッドデッキの上にビニールシートを敷いて、数カ所に排水用の穴をあける。

4

下描きのイメージで一番大きな石を配し、ケト土でしっかりと固定する。

5

下描きのイメージに即し、バランスを見ながら残りの4つの石を組んでいく。

6

コケを張る場所を決めて、ケト土6割、赤玉土3割、川砂1割を混合した用土を盛る。

7

用土を盛った箇所に全体のバランスを見ながらホソバオキナゴケを張っていく。

8

コケを張り終えたら、中央部分の空間に白玉小石を敷き詰めて表面を平らにならす。

9

レイアウトが完了したら、全体の汚れを水でよく洗い流し、ヨシズを張って完成。

苔庭の造り方②

坪苔庭

用意する材料

1.竹衝立	10.ツワブキ
2.支持杭	11.カンボク
3.川砂	12.シノブ
4.赤玉土	13.黒玉小石
5.ケト土	14.ホソバオキナゴケ
6.7.8.河原石	15.流木
9.フウチソウ	

1

木漏れ日が当たる庭木の樹下など、コケの生育に適した環境の場所を探す。

2

場所が決まったら落枝や支障枝、下草などを処理し、苔庭を作る90㎝四方の土を20㎝程度掘る。

3

苔庭の水はけをよくするために、掘り下げた部分に小砂利や川砂などを盛って排水層をつくる。

4

風雨による土の流出を防ぐとともに景観に深みを加える上でも効果的な流木を浅く埋めて四方を囲う。

5

排水層の上に赤玉土8割、川砂2割を混合した用土を敷き、山、谷、川に見立てた起伏をつくる。

6

一番大きな石を右後方に配置する。

7

下描きのイメージに即して残りの2つの石も配置して、石組みを完了する。

8

細幹で枝数が少ない文人木（ここではスイカズラ科のカンボクを使用）を左後方の築山に植える。

9

一番大きな石の奥にツワブキを植える。

10

カンボクの横にフウチソウを植える。

11

全体のバランスを見ながらシノブを植え込めば草木の植栽は完了。

12

ホソバオキナゴケを一番高くなっている左奥の築山から張っていく。

13

用土とコケの間にすき間ができないように上から押さえつけながらコケを張り進める。

14

川に見立てた前面部分以外に張りつければ、コケの移植は完了。

15

川に見立てた部分に黒玉小石を敷き詰めて平らにならせばレイアウト完了。

16

全体の汚れを水でよく洗い流し、三カ所に支持杭を打ち込んで竹衝立を立てて固定すれば完成。

苔庭の管理

竹衝立やヨシズで日よけと防風対策を

苔庭の管理のポイントとしては、以下の三つの要素が挙げられます。

①乾湿条件の管理
②日照条件の管理
③温度条件の管理

コケの生育は空気中の水分に大きく左右されます。コケを移植してしばらくは、毎日の水やりは欠かさず行うようにしましょう。

やがて環境に馴染んで落ちついてきたら、散水回数を減らしてもかまいません。最終的には降雨だけでも繁茂してくれるのが理想です。新芽が出てくればその環境に適応しているということですから、いつまでも枯れずに美しい緑が保たれます。

次に日照条件ですが、コケ

にとっては木漏れ日程度の光量が最適です。直射日光が当たる場所でも育つ丈夫な品種もありますが、強い西日が当たるような場所であれば竹衝立やヨシズなどを設けて日よけをしましょう。

また、竹衝立などで囲うと、防風の面でも有効です。コケはなによりも乾燥を嫌い、特に冬場の乾いた寒風には弱いので注意してください。

温度の条件は極端な高温や低温でなければ問題はありませんが、湿度との関係で起こる蒸れはコケを枯らしてしまうので注意が必要です。夏場の日中の水やりは厳禁です。

徒長する品種は刈り込みを

コケは多年生で、その多くは大きくならずに群生しますが、なかには生長する品種もあります。枯山水庭園などに植栽されているスギゴケの仲間は、毎年春になると芽先が伸びて、年数が経つと倒れてしまいます。

見栄えが悪いばかりか、倒れたコケが日光を遮断して新芽の生育を阻害します。また、表土を覆って蒸れやすくなるので、しだいに衰退していき、やがては苔庭に植栽した全てのコケが枯れてしまいます。そこで、徒長する品種は、15～20センチに伸びたら地際から刈り取って再生させるといいでしょう。

あとがき

かれこれ十年ほど前のこと、縁あって山口県の錦町（現・岩国市）という小さな町の「町おこし」の手伝いをしたことがあった。錦帯橋が架かる錦川の源流域に位置する山村で、町内を流れる清流にはホタルが舞い、カジカガエルの美声が響いていた。そして、宿の周りには背の高いコケが群落をつくっていた。それまでコケというものにさしたる興味はなかったのだが、あまりにも美しい佇まいだったものだから、掌ほどの塊を採取して持ち帰り、自宅で育てることにした。

盆栽鉢に用土を盛ってコケを張り、毎日霧吹きで散水した。しかし、一週間と経たないうちに変色してしおれてしまった。あとから知ったことだが、そのコケはウマスギゴケで、振り返れば、この時のウマスギゴケとの邂逅が「コケ」という存在に瞠目するきっかけを与えてくれたのだった。以来、何度かコケの栽培を試みたが上手くいかず、数年前の苔玉ブームのときにはいくつも買い求めてマニュアル通りに育ててみたものの、ひとつ残らず枯らしてしまった。

ところがである。あるとき、仕事場近くの道端に生えていたギンゴケを採取して小鉢に入れてみたところ、いつまでたっても枯れずにいた。それどころか順調に生育して厚みがまし、いつの間にか一山の趣を呈するまでになった。

本書を通読された方ならおわかりだと思うが、コケは自生している環境に適応しているので、山奥に自生しているコケを自宅の庭に移植しても、まず育たないのである。裏を返せば、地元のコケであれば、あまり手間ひまをかけなくとも育つのである。

そのギンゴケの一件がきっかけで、他に育てやすい品種がないものかと文献をひもといてみたところ、数種が判明した。そして、そのなかにウマスギゴケがラインナップされていた。一瞬目を疑ったが、「乾燥に強く、石組ともよく合い、苔庭ではもっともよく使われる主要な大型のコケ」と記されていた。

いわれてみれば、名刹の日本庭園に生えているコケの多くはウマスギゴケである。そこで、園芸店からウマスギゴケを買ってきて盆栽鉢に移植してみたところ、不思議なことに上手く育ったのである。自宅よりも仕事場の環境の方がウマスギゴケの生育に適していたとも考えられなくもなかったが、実は園芸店で売られているコケの多くは山採りのものとは違い、タネゴケから累代栽培された頑強なもので、適応能力が高くなっているのである。

ギンゴケやウマスギゴケの栽培に成功してからというもの、その一山の趣がある苔小鉢が日々の慰安となった。そんなある日、同好の士はどのようなコケを育てていたりするのかという興味がわいて、ぶらりとネット上の散歩に出かけてみた。そして、木村日出資さんのホームページに辿り着いたのだった。

「自分は、大自然の風景を、苔で表現してみました……大地をやさしく包み込むように、一本一本絵を描くように植え込みました!!　苔盆と呼んでください」

そう挨拶文が書かれたホームページには、郷里の風景や雪舟の水墨画に題材を取った苔盆がアップされていた。その秀逸を極める作品群に魅了され、話しが聞きたくて、木村さんを訪ねたのだった。

木村さんが説く「苔盆」の定義についてここで今一度言及す

ると、
①画題は幽玄な景色を写し取ること
②コケが主で草木が従であること
③作った瞬間から愉しめること
という三点に集約される。

盆栽は長い歳月を経て年寂びて完成するものだが、苔盆は作ったその日から愉しめる点が最大の魅力で、忙しい現代人に合った趣味だといえる。加えて、コケや器にする流木などの材料も採取・収拾できて、金がかからない点においては、百年に一度の経済危機と叫ばれ、曲り角に立った時代の嫡子とでもいうべき趣味だといえなくもない。では、苔盆は緊縮財政がもたらした趣味かといえば、答えは否である。苔盆の濫觴《らんしょう》は江戸時代中期以降に、上方の文人に広まった「文人植木」にあると僕は理解している。

造形芸術としては、六世紀末から七世紀初頭にかけて、「占景盤」あるいは「縮景盤」と称された盆石の技術が中国から移入され、これを天武天皇が日本の盆石として完成させたことに端を発している。以来、改良工夫が加えられて日本独特の文化として発展していったのである。

室町時代には茶の湯の流行とともに盆石と呼ばれる愛石の趣味が盛んになり、さらには盆山や盆景などと呼ばれる多種類の芸能文化が盛大に開花して、本来はひとつの石だけを盆に据えて鑑賞するものだったのが、大小の石を置いたり、茶花を植えたり、水を注いだり、家の模型を置いたものまで現れた。

江戸の天保年間に墨江武禅が著した園芸書『占景盤』には摺鉢に石を立て、松を植え、さらに楼閣などを置いて、深山に遊ぶ文人を表した見事な「占景盤」が描かれている。自然の景趣を樹木やコケ、石、焼物、人形などを使って鉢に表現し、箱庭的要素をたぶんに含んだこの時代の占景盤なんかは、木村さんが創作する苔盆の佇まいそのものである。

占景盤の発展の歴史を俯瞰してみると、苔盆は、その最先端に位置する平成の盆石といえなくもない。しかし、そのルーツは「文人植木」にあるとするのは、苔盆作りの本懐にある。

木村さんは技巧的にすぐれた作品を生み出すことが目的ではなく、遠い日の自分と出会ったり、仙境に心遊ばせることが創作の本懐だと説いている。それは、中国の文人趣味の影響を受けて、「文房清玩、琴棋書画」の境地に遊び、思想としての自然観をもち、神仙の理想郷を求めるべく盆上に具現した「文人植木」に通じるのである。

さて、我が書斎の文房清玩は、筆や、硯や、紙ではなく、苔盆と息子の七五三の写真と、PCである。原稿執筆に倦むと、ぶらりと散歩に出る。最近では、ついつい路傍のコケに視線がいきがちである。雨上がりの日には、特に緑の葉末が美しく、これも都会の景観を構成するディテールなのだとあらためて気づき、感心する。

そして、四億年もの昔から命脈を保ち続けている種の前に佇んで、「格差社会」やら「不景気」やらというやんごとない同時代をぼんやりと納得し、このうたかたのような人生がますます好きになってしまうのだった。

平成二十一年　盛夏　左古文男

木村日出資 きむら ひでし

日本園芸協会盆栽士。1942年東京生まれ。'80年に盆栽士免許を取得。20年前から「苔盆」を始め、現在までに手がけた作品数は2千点を超える。盆栽鉢に留まらず、流木や孟宗竹を器として使ったオリジナル作品には定評がある。毎週土曜日の午後1時～3時に「苔盆教室」を開催中。問い合わせ、受講の申し込みはhidesi.kimura@nifty.comまで。
ホームページ:http://kokebon.com

左古文男 さこ ふみお

漫画家、小説家。1960年高知県生まれ。'86年「コミックばく」夏季号に『YOKOHAMA BAY CITY BLUES』を発表し、漫画家としてデビュー。'89年に小説家に転向。「小説コットン」に長編伝奇小説『雨の異邦人』の連載を開始する。以後、SF・ミステリー小説をはじめ、ルポルタージュ、エッセイなど幅広く執筆中。近著にエッセイ作品『引分組』(岳陽舎)、共著作品『魚のヒミツ』(宝島文庫)などがある。

撮影　中西文明(文明舎)
本文デザイン　落合ススム(オリゼー)
絵田裕子(オリゼー)
カバーデザイン　CYCLE DESIGN
イラスト　左古文男
協力　自由が丘『グリーンハウス』代表者:関戸明夫
住所:東京都自由が丘2-15-10A&Dハウス
Tel:03-3723-3380
ホームページ:http://www.windom-corp.com/green_house/

みどり屋『和草』代表者:和田久幸
住所:東京都武蔵野市吉祥寺本町4-13-2-102
Tel&Fax:0422-21-2593
ホームページ:http://nicogusa.com

元祖炭火焼『鮒宿』代表者:小川一洋
住所:東京都調布市菊野台2-4-2
Tel:0424-83-3053
ホームページ:http://www.maingreen.jp/funayado/index.htm

株式会社『安藤農園』代表取締役:安藤英夫
神奈川県川崎市多摩区菅北浦3-3-8
Tel:044-944-2984

モスリウムラボ　代表者:岸田卓
ホームページ:http://www.mossriumlab.com/

カエルの森工房
ホームページ:http://www.gakuzan.net/amp/

臨済宗大本山東福寺

臨済宗東福寺派芬陀院

参考文献　『フィールド図鑑 コケ』(東海大学出版会)
『野外観察ハンドブック 校庭のコケ』(全国農村教育協会)
『苔とあるく』(WAVE出版)
『苔園芸コツのコツ』(農山漁村文化協会)
季刊『銀花』第百三十一号(文化出版局)
『太陽』no.197(平凡社)
『シリーズ京の庭の巨匠たち1　重森三玲』(京都通信社)

作ったその日から愉しめる
苔盆景入門

2009年9月5日　初版第1刷発行

著者●木村日出資　左古文男
発行者●穂谷竹俊
発行所●株式会社 日東書院本社
〒160-0022　東京都新宿区新宿2丁目15番14号　辰巳ビル
TEL●03-5360-7522(代表)　FAX●03-5360-8951(販売部)
振替●00180-0-705733　URL●http://www.TG-NET.co.jp

印刷所・製本所●株式会社 公栄社

ISBN978-4-528-01629-3 C2061